YOUTH 经|典|译|丛 02
人猿泰山

泰山归林
The Return of Tarzan

［美］埃德加·伯勒斯 / 著
毕可生　孙亚英 / 译

中国青年出版社

(京) 新登字083号

图书在版编目（CIP）数据

泰山归林/（美）伯勒斯（Burroughs, E.R.）著；毕可生，孙亚英译.
—北京：中国青年出版社，2013.7
（人猿泰山系列）
书名原文：The Return of Tarzan
ISBN 978-7-5153-1809-7

Ⅰ.①泰… Ⅱ.①伯…②毕…③孙… Ⅲ.①儿童文学—长篇小说—美国—现代 Ⅳ.①I712.84
中国版本图书馆CIP数据核字（2013）第173201号

责任编辑：杜惠玲 谢肇文
封面设计：瞿中华

出版发行：中国青年出版社
社　　址：北京东四十二条21号
邮　　编：100708
网　　址：www.cyp.com.cn
编辑电话：010-57350504
门市电话：010-57350370
印　　刷：三河市君旺印务有限公司
经　　销：新华书店

开　　本：620×920　1/16
印　　张：15.25
插　　页：1
字　　数：160千字
版　　次：2015年5月北京第1版
印　　次：2015年5月河北第1次印刷
定　　价：21.00元

本图书如有印装质量问题，请凭购书发票与质检部联系调换
联系电话：010-57350337

猿语（泰山的母语）——中文对照表

动 物

巴拉——鹿

勃勒冈尼——大猩猩

布吐——犀牛

旦格——鬣狗

杜罗——河马

戈格——水牛

豪尔塔——野猪

吉姆拉——鳄鱼

库图——老鹰

努玛——雄狮

派可——斑马

盘巴——老鼠

沙保——母狮

吞特——大象

希斯塔——蛇

希塔——花斑豹

(　　　　)——(　　　　)

(　　　　)——(　　　　)

自　然

戈罗——月亮

库都——太阳

(　　　　)——(　　　　)

(　　　　)——(　　　　)

人

戈曼更——黑人

塔曼戈——白人

(　　　　)——(　　　　)

(　　　　)——(　　　　)

你还能找出多少来呢?

目 录

一	在船上	001
二	再次结怨	013
三	莫尔街事件	023
四	伯爵夫人的倾诉	031
五	阴谋终归失败	042
六	一场决斗	051
七	西迪艾萨的舞女	061
八	荒漠之战	069
九	黑狮爱拉瑞亚	078
十	从死亡的阴影中逃脱	088
十一	伦敦的约翰·考德威尔先生	095
十二	落水	103
十三	"爱丽丝女士"号沉船	113
十四	重返原始故居	125
十五	从人猿到土人	135
十六	抢象牙的匪徒	145
十七	瓦齐里族的白人领袖	153

十八　死亡的抽签 …………………… 162

十九　黄金城堡 ……………………… 172

二十　兰 ……………………………… 179

二十一　遭难的人们 ………………… 187

二十二　奥泊城的地下宝藏 ………… 196

二十三　五十个可怕的人 …………… 204

二十四　泰山二进奥泊城 …………… 212

二十五　穿过原始森林 ……………… 220

二十六　人猿往事 …………………… 231

一
在船上

法国兑·库特伯爵夫人坐在甲板的船椅上,眼睛久久凝视着一个地方。忽然,她情不自禁地低声赞美了一句:"真伟岸啊!"

"啊?你说什么伟岸啊?"伯爵回头问他年轻的妻子,同时,他的眼光在四面扫视,寻找她所赞美的对象。

"没什么,亲爱的。"夫人回答,她美丽的脸上顿时泛起一层淡淡的红晕。为了遮掩羞涩,她托词道:"我在回想纽约市那高入云霄的摩天大楼,不禁赞出声来。"伯爵夫人说完之后,就舒适而悠闲地翻阅起了杂志。

她的丈夫也埋头看他的书去了,然而他心里却不免有点疑惑,为什么妻子离开纽约还不到三天,竟对从前非常厌烦的摩天大楼、喧嚣闹市起了怀恋之情呢?这未免有点儿难以理解。伯爵沉思了一下,放下书本对妻子说:"奥尔迦,我觉得闷了,想找几个人玩一会儿纸牌,我想,也许有些人正和我一样,正觉得一点意思也没有呢!"

伯爵夫人微笑着回答:"我知道你烦闷了,我的丈夫!我的感觉也和你一样,你却只顾自己消遣。好了,我原谅你!你就去吧!只要你高兴,就去玩你那玩厌了的纸牌吧!"

伯爵走了之后，年轻夫人的目光又溜向旁边，看着一个体格魁梧的青年男人。这魁梧的青年躺在软椅上，和她的距离并不太远。她情不自禁地低低地说了一声："真伟岸啊！"

这位伯爵夫人奥尔迦是位二十来岁的俄国少女，她的丈夫已经有四十岁了。她是一个非常忠实而诚挚的少女，足可称为贤妻的。然而她没有机会自己选择丈夫，她父亲做主把她许配给了这位伯爵，因此，他们夫妻间的爱情并不十分浓厚，不像自由恋爱结成的夫妻那样感情亲密无间。然而，尽管如此，她看见了这位年轻俊美的陌生人，发出一两声赞叹，也决不是产生了什么邪念，而是非常自然的事。况且，这位年轻人的确具有难得的气质。

当她暗地里注视着他的时候，他站起来，离开了舱面。她招呼了一位正从她身边经过的侍者，问道："那位先生是谁？"

"太太！那位先生在船上登记的名字是非洲的泰山先生。"侍者恭恭敬敬地回答。

她想，看他的举止和风度，他也许还有爵位呢，于是她的好奇心更增加了几分。

这时候，泰山正慢慢向吸烟室走去，耳边听得有两个男人在窃窃私语，就在吸烟室门口，声音极低，简直听不清内容。这本来也是很平常的事，他原可以不介意的。但是，他抬眼望去，只见其中一个人露着凶恶的眼神，不时向泰山偷看，这眼神很像巴黎戏院中扮演恶棍的丑角一样。这两个人都有着紫色脸膛，有点像两兄弟。他们正鬼鬼祟祟偷看着泰山，耸耸肩膀，显出阴险的神情。

泰山踱进了吸烟室，找了一把距别人较远的椅子坐了下来。他没有兴趣和别人谈话，独自闷闷地喝着艾汁酒，好像满腹心事,在借酒浇愁。他的脑海里思潮翻腾,他想起了几个星期以前的事,不免有点伤感。此时他认为自己不应该为了一个毫不讲交情的人就放弃了应得的继承权,他简直怀疑自己做事糊涂。论理,他应该是个真正的爵士,他之所以放弃了他的爵位和财产,并不是为了威廉·克莱顿,而是为了一个女人。这个女人就是他和威廉·克莱顿都爱着的琴恩。因为威廉的运气好,占了先,得到了琴恩,也得到了继承权。

让泰山最感苦恼的是:他也明白琴恩对自己颇有深情,可是事到如今,已经没有挽回的余地了。在他心里占据最重位置的,是他心爱的人后半生的幸福。他深深地感到,自从与文明社会接触之后,所得的阅历虽不多,然而从生活体验中他懂得了,聪明人是少不了金钱和地位的,不然,生活会索然无味。可他怎么也弄不明白,文明人为什么把金钱和虚名看成第二生命呢?

琴恩出身于名门世族,长于富贵之中,假如泰山夺回了她未婚夫的爵位和财产,会使她成为贫困人家的主妇,生活会非常痛苦。泰山是个诚挚而有侠义心肠的人,他信任别人,以为任何人都和自己一样正直。他并不认为琴恩会嫌贫爱富,她不会因为威廉·克莱顿失掉继承权而与他反目,琴恩决不是这样的人,相反,威廉·克莱顿越是不得志,她才越不会跟他毁弃婚约。

泰山深深思索着过去和未来的种种情形,尤其是面临着的命运,他觉得忧喜参半。他想到这次回到儿童时代生活的丛林中去,海阔天空,自由自在,无拘无束,可以全身心地沉醉在大自然的怀抱里。他来到世上已经二十二年了,前二十年是在丛林中过的,现在他准备仍回到穴居的荒野中去,重温过去的生活。丛林中的同伴们，正在那里翘首等他，欢迎他回去呢！想到这里，自然是喜上心头。然而，丛林中的同伴，有谁能跟他真正交流心灵深处的思想感情呢？这是不可能的，今后他只和野兽周旋，再不和人类交往，这将是多么寂寞凄凉啊！想到这里，他又不禁悲从中来。

泰山指间夹着一支香烟，一边起劲地吸着，一边呆呆地沉思，他偶然抬起头来，视线落在了对面的镜子里。镜子反照着一张桌子，桌边坐着四个人在赌纸牌，玩得正起劲。这时有一个人站了起来，立刻就有一个人坐下去补空。他们玩得很入迷，不知不觉便引起了泰山的注意。那个补进去的人，身材比较矮小，就是泰山方才在吸烟室门口碰见的、鬼头鬼脑交头接耳的人中的一个。泰山直觉地感到，这家伙一定是个没出息的纨绔子弟。反正自己闲得无聊，现在又被即将可能发生的事引发了好奇心，泰山于是就仔细看着镜子里的人们。玩纸牌的那张桌子就在泰山背后，泰山仔细观察着。坐在刚才入局那家伙对面的，正是兑·库特伯爵。泰山本来不认识伯爵，当他上船时，船上有一个喜欢多嘴的管事指点给泰山看，告诉他这是船上的阔人之一：法国兑·库特伯爵，在法国参谋部担任机要职务，泰山因此认识了他。除了伯爵之外，船上其他的人，泰山一个也不认识。

泰山凝神地望着镜子，忽然看见刚才在门外耳语的另一个家伙也走了进来，站在伯爵椅子背后。泰山看他那副鬼鬼祟祟的神态，两眼贼光灼灼，不断向室内四周窥视，就更加注意他了，而他却没有发觉泰山。这家伙自以为神不知鬼不觉，从自己衣袋里摸出一些东西，泰山没看清是什么，那家伙用手遮住了。渐渐地，这家伙的手靠近了伯爵,用非常敏捷的手法,把东西塞进了伯爵的衣袋。做完这一串动作之后,他仍站在那里,看着伯爵打牌。泰山感到非常奇怪,知道这家伙不是个简单的小偷,小偷只会从别人衣袋里偷东西,他却往别人衣袋里放东西,这是为什么呢?于是泰山把全部注意力都集中到这件事上了。那些玩纸牌的人,又继续玩了约有十几分钟。伯爵的赌运独好,赢了很多赌注,后来补进来的那个人输得最惨。泰山看见站在伯爵背后的家伙,对伯爵对面的他的伙伴点了一下头。忽然伯爵对面那个人站了起来,指着伯爵说:"如果我早知道这位先生是惯会做手脚、靠赌牌骗钱的人,我根本不该来玩牌。"

伯爵听了这话,立刻站了起来,另外同赌的两个人,也都站了起来。兑·库特的脸色气得煞白,他向对面的那个人说:"先生!你这话是什么意思?你可明白你在对谁说话?"

那人说:"我可不愿意再和骗子、流氓说话了!"

伯爵把身子往前一探,要用手掌去打那人耳光,立即被旁人劝阻住了。

牌桌边另外一个人说:"这中间一定有什么误会,因为这位就是法国的兑·库特伯爵啊!"

那个赌输诬赖伯爵的人振振有词地说:"倘若是我错了,我情愿赔罪。但是,先得请这位伯爵先生解释一下,我亲眼看见他藏了几张牌在衣袋里,我敢保证他衣袋里有纸牌。"

泰山看见原本站在伯爵椅子背后的人,此时要往外溜。泰山霍地站起身来,抢上前去,用他魁梧的身体挡住了屋门。

那人粗鲁地想从他身边挤过去,却被泰山死死挡住,怎么也挤不出去。那人摆出一副不高兴的样子说:"请让开!"

泰山用命令的口气说:"且慢!"

"为什么?让我出去!"那人颇有几分恼怒了。

泰山平心静气地说:"且慢!我想这里面有一件可疑的事,想请你解释明白。"

那家伙已经明白出了差错,事情败露了。但事已至此,他没有后退的余地了,只好一不做二不休,恼羞成怒地动起武来,想把泰山推到一边去。他哪里是泰山的对手?只见泰山不动声色地微笑着,毫不费力地伸出粗壮的手臂,抓住那人的衣领,把他拖到原来站立的地方,好像老鹰抓小鸡一样。尽管那人挣扎着、咒骂着,不断提出抗议,可是一点儿效果也没有。这可以说是尼古拉·罗可夫平生第一次感到了棘手。

这时,那个诬蔑伯爵的人和另外两位牌手,都望着伯爵,似乎在等待他作出反应,好弄清事实真相。另外还有几个旁观者也都在对此事窃窃私语,大家出于好奇,都在等着真相的水落石出。

伯爵被周围的气氛弄得很窘迫,他说:"这个人一定是疯子,我恳请你们推选一个人来搜查我的衣袋,我的清白就得到证明了。"

"怎么能这样呢?这可真是诬蔑伯爵了!"有一个人打抱不平。

那诬蔑伯爵的人说:"你别管,你不妨把你的手伸进伯爵的衣袋里去,你就一定可以知道究竟是不是我冤枉了这位伯爵。"尽管说这话的人显得挺有把握,可是没有一个人敢动手。那人又说:"如果你们都不愿意动手搜查的话,我可要亲自动手了!"

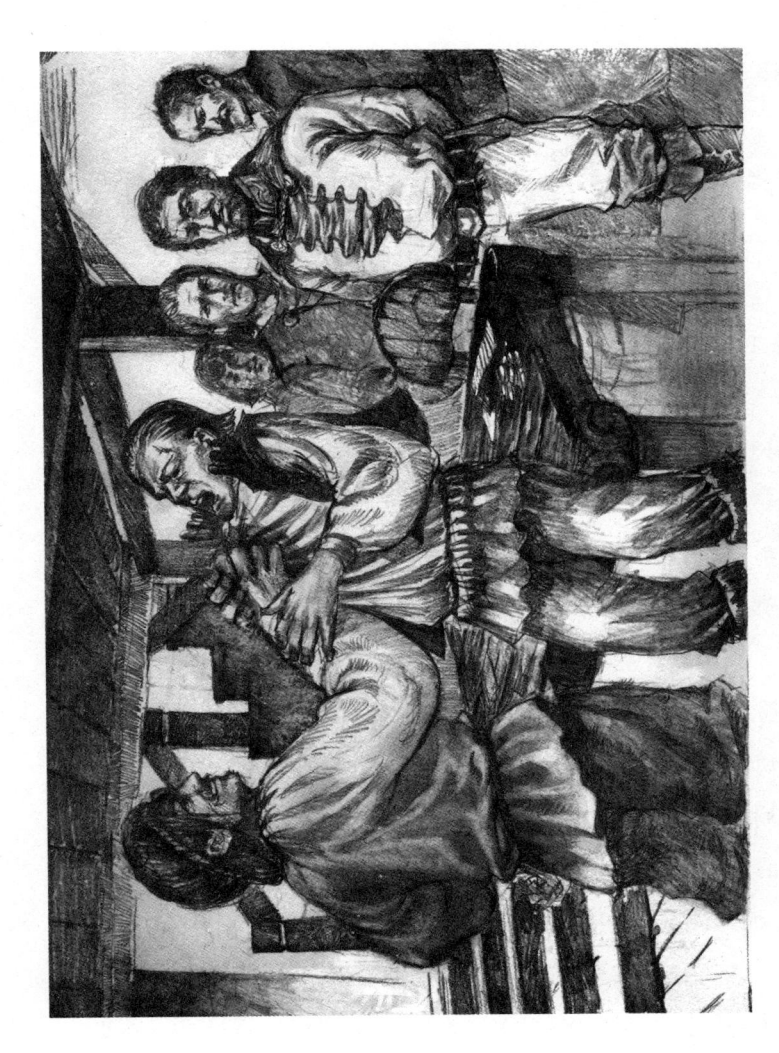

泰山伸出粗壮的手臂,抓住那人的衣领。

"且慢！我是堂堂的伯爵，岂能让你这个不讲理的人搜查？"兑·库特阻止说。

突然旁边有一个人高声喊道："根本用不着搜伯爵的衣袋，那里面确实有纸牌，事情的整个经过我都看见了。"

众人的视线一下都转到这位新参加进来的发言人身上。大家看见说话的人是个青年，魁梧英俊、仪表堂堂。他抓住了要逃走的那人的衣领，拖着向大家走来，众人都十分惊奇。

兑·库特怒气冲冲地说："你们一定是串通好了，我衣袋里是绝对没有什么纸牌的。"他说着伸手到衣袋里去摸，这时候，围观的人都一声不响，屏息等着看事情的结果。伯爵的脸色忽然变得灰白，他的样子十分难看，好像死囚听到了法官的宣判一样。他慢慢从衣袋里伸出手来，果然拿出了三张纸牌。他瞪着眼睛看着大家，哑口无言，他的面颊又从灰白涨得通红。旁观的人都面面相觑，露出一种鄙夷不屑的神色。

那个青年说："先生！这确实是个串通好了的把戏，我抓住的这个人就是个同谋。伯爵先生并不知道自己衣袋里有三张牌，此人把牌放到伯爵衣袋里的时候，伯爵正玩得入神，所以一点儿也不知道。我坐的椅子对面有一面镜子，我从镜子里把一切都看得清清楚楚。现在我抓着的这个人，就是放纸牌到伯爵衣袋里去的人，他是诬陷伯爵的同谋者。"

兑·库特随着那青年的指点，仔细向那被抓住的人一打量，忽然他惊讶地叫起来："啊！尼古拉！是你吗？"于是伯爵掉转头来，重新辨认那个诬蔑他的人。过了一小会儿，他叫道："原来同谋是你！你剃掉了胡须，改了装，我一时没认出来，鲍勒维奇！现在我完全明白了,诸位先生!现在你们也该明白了吧,我是被他们陷害的!"

泰山问伯爵:"我们怎么处置他们呢?要不要把他们送到船长那儿,请他决定?"伯爵急忙说:"不必!我的朋友!这是一件私人之间的事,不必公办了,只要洗清了我的冤枉,我的名誉没受损害,请求先生还是放他们走吧!但是,先生!承蒙您今天仗义执言,保住了我清白的名声,我却难以报答,这是我的名片,请先生收着,将来如有需要我效劳的机会,赴汤蹈火,在所不辞!"

泰山听了,就放了罗可夫和他的同谋鲍勒维奇。这两个恶棍在众人注视中脱了身,抱头鼠窜,极其狼狈地匆匆逃出了吸烟室。临走,罗可夫回过头来,恶狠狠地对泰山低声说:"先生!你这样爱管闲事,将来总有一天会叫你追悔莫及的!"

泰山付之一笑,随即向伯爵鞠了一躬,也拿出一张自己的名片,递给伯爵。伯爵接来一看,上面印着:

泰山(M. Jean C. Tarzan)。

伯爵说:"泰山先生!你见义勇为,免我受辱,十分感谢你!但我有必要提醒你,那两个坏蛋恐怕会报复你,先生!你无论如何可要提防啊!能避开还是避开为好。"

泰山微笑着回答:"谢谢伯爵!不过,我平生遇到的仇敌中,比他们还凶狠的也不在少数,但我没受过丝毫损害,仍旧活得无忧无虑。我想他俩也没有什么厉害法子加害我,请伯爵不必为我担心。但我还是要谢谢您的叮嘱。"

伯爵说："当然，我也希望他们没有机会加害你，但是我仍劝你留心提防，防患于未然才好。你要知道，今天你至少已与他们为敌了，他们不会忘记，不会放过你的。他们要报复、要害别人时，什么手段都使得出来，今天他们对我这样就是个明证。现在他们也必然恨上你了。罗可夫这个人，要说他是个恶魔，一点儿也不过分，他行事之毒辣，有时真比魔鬼还厉害呢！"

那天晚上，泰山回到自己船舱的时候，在门内地上拾到一张字条，他打开一看，上面写道：

先生今天所做的事，大概并没有考虑清楚，以致产生误会，也许先生并非故意。我认为你这样冒昧地得罪他人，未免有欠考虑，不过，我可以原谅你，给你一次补过的机会，希望你真诚地道歉，以后再不干涉与己无关的事，则今天之事可以一笔勾销。不然，我将尽我所能，采取有效的方法来处置你。

尼古拉·罗可夫

泰山看了，只淡淡一笑，没把此事放在心上，倒在床上就睡了。

在另一间舱房里，伯爵夫人正和她丈夫闲谈，她问："亲爱的！今晚你为什么这样闷闷不乐？是不是想起了什么政务，使你烦恼？"伯爵说："奥尔迦！你可知道罗可夫也在船上？"

她惊诧地说："罗可夫？我想不可能吧？罗可夫在德国的监狱里，怎么会到这船上来呢？"

伯爵说:"原来我也这么想,可是今天我亲眼看见他了。还有那个土匪头子鲍勒维奇,他们两个在一起呢。今天他们居然又来捉弄我,我实在不能忍了。过去我吃他们的苦头,已经吃得够多了,我不能再放过他们,迟早我会把他们送到当局去法办。今天,他们在牌桌上对我做手脚,几乎使我颜面扫地。幸亏有人为我仗义执言,说明了真相,我才得以洗清冤枉。我很想把他们立刻交给船长,叫船长把他们软禁起来,这在法国邮船上是很容易的,也不怕没有相应的法律去制裁他们。"

伯爵夫人听了这话,吓得脸上变了颜色,不禁跪在伯爵面前哀求着:"啊!不!我求你千万不要这样做,请求你答应我,别理睬他们。亲爱的!我恳求你再发一次慈悲,别去计较,放过他们吧,我会对你感激不尽的。"

兑·库特看到伯爵夫人哭了,就握着她的双手,对着她那带雨梨花一样的脸看了一会儿,在尚未开口前的几分钟里,他心里在想:这样美丽的一位夫人,为什么要袒护那样的两个坏东西呢?最后,他说:"奥尔迦!我按你的意愿做就是了。不过,我真不明白,你为什么要袒护这样的恶人?他们的所作所为,几乎已经不能算是人了,不配受你的关注。何况,他们还破坏你我的名誉,甚至会加害我们的性命。我但愿你不要由于袒护他们,给咱们的将来造成后患。"

她连忙分辩说:"我怎么可能想袒护他?对他的行为我也和你一样气愤,但是,亲骨肉到底是亲骨肉呀!"

伯爵气哼哼地说:"今天我恨不得结果了他的性命,这两个恶徒,存心要让我丢脸、抬不起头来做人。"说着,又把白天在吸烟室的事,详详细细地告诉了夫人,然后说:"要是没有那位素不相识的青年见义勇为,替我辨明是非,恐怕我已经中了他们的圈套了。你说,当时纸牌明明就从我衣袋里摸出来,我真是一身都是嘴也辩不清楚啊!谁会相信我的话呢?幸亏这位泰山先生,抓住了尼古拉·罗可夫那家伙,才把这场有意陷害我的把戏戳穿了。"

伯爵夫人一听丈夫说起泰山的名字,不觉出于好奇心,脱口而出地问道:"是泰山先生吗?"

"是的,你也知道他吗?奥尔迦!"

伯爵夫人说:"在甲板上我看见过他,是船上的一个侍者指给我看的,并且把他的姓名告诉了我。"

伯爵说:"我倒不知道他是个有名的人物。"

奥尔迦连忙用别的话岔开了,她很难向丈夫解释,侍者为什么要把英俊健美的泰山指给她看。此时,她脸上又浮起了薄薄的红晕。伯爵望着美丽的夫人,心里有点莫名其妙,其实,伯爵夫人自己却有点儿不好意思,总像心里有什么隐秘在瞒着丈夫,这种微妙的心态,连奥尔迦自己也说不出所以然来。

二
再次结怨

泰山由于做了这件见义勇为的事,在船上自然而然地又结识了几位新乘客。第二天下午,他在甲板上散步,忽然又碰见罗可夫和鲍勒维奇,他们俩似乎在和一个什么人谈着诡秘的事情。泰山换了一个角度站着,想看清他们三人到底在干什么。只见他俩站在甲板的僻静处,在和一个女人力争着什么。那女人身段苗条,腰肢纤细,衣着很华丽,可以看出是个上流社会的年轻少妇,由于她戴着面纱,看不清她的容貌。

泰山见罗可夫气势汹汹,向那少妇威逼胁迫,似在索要什么东西,而那少妇只是苦苦地哀求着,并不敢怒斥或反抗。他们三个人站立的地方,恰巧背向着泰山,所以泰山轻手轻脚地走到他们身边,他们并没有察觉。泰山看罗可夫的样子咄咄逼人,很像要动武,但他们说的话,不是英文,也不是法文,泰山听不懂。但以泰山的聪明,他预感到罗可夫要下毒手了。于是泰山停住脚步,闪在一旁,只等这恶徒动手。果然,罗可夫很快地握住那少妇的手腕,用力扭转,似乎以此威逼她答应什么。那女子不敢大声叫喊,只痛苦地低声呻吟着。在泰山的眼中,哪里容得如此无礼?他闪电一般冲了过去,伸出钢铁一样的胳膊,扳住了罗可夫的肩膀。罗可夫转脸一看，原来又是这个专管闲事的对头，只见泰山灰色的眼睛喷着怒火，一股强大的精神压力似要迫使罗可夫屈服。罗可夫又怕又恨地说："哼！你是谁？敢几次坏老子的事！"

"没什么，昨天，你不是给过我一封信吗？这就是我给你的回信！"泰山压低了声音，威严地对他说，随手把罗可夫一推。罗可夫立脚不稳，跟跟跄跄退后好几步，撞在船边的铁栏上，仰面跌了个四脚朝天。

罗可夫气得尖声叫起来："你这混账东西！不要你的命，你不知老子的厉害！"罗可夫从地上爬起来，立即抽出手枪，向泰山冲来。那少妇惊恐万分，拼命喊着："罗可夫！快别这样，要闯祸的！"她又转身向泰山说："先生！你快走吧！别遭了他的毒手！"泰山却并不害怕，他非但不走，反而迎上前去，对罗可夫说："我看你是在发疯，我倒想看看你还能干出什么！"

罗可夫听了气得半死，他把身子站稳，举起手枪，对准泰山的胸膛要扳枪机。哪知泰山的动作超乎常人，疾如闪电，伸出粗大的手掌，夺过罗可夫手里的枪，说时迟，那时快，那支手枪一直飞向船外，落进大西洋里去了。

他俩默默对立着，怒目相视。过了好一阵子，罗可夫装出镇静的样子，打破沉寂，先开口说："你到底为什么这样喜欢干预别人的闲事？前一次，还可以说是一时冒昧，我不再追究了。但是，今天可是你存心跟我罗可夫过不去，横加干涉，这次我可饶不了你了。你知道我罗可夫是怎样的人吗？你一而再地跟我捣乱，我只有拿出最后的手段，给你点颜色看看了！"

"像你这种怯懦又阴险的小人，只会使用卑鄙手段，我不愿和你多说!"泰山说着,就走开了。他转过身来,正想去安慰一下那个被威胁的少妇,看她是否受了伤,谁知那少妇早已无影无踪了。泰山继续在甲板上散步,不再去理睬那两个恶棍。

泰山一边走着,心里暗自寻思,这两个恶棍为什么昨天在牌桌上暗算伯爵,今天又来威胁这个女子呢?他们和这两个人有什么仇恨?这戴面纱的女子又是谁呢?可惜看不清她的真面目,从她的体态轮廓看,仿佛在哪里见过一面。罗可夫扭住她手腕的时候,泰山瞥见她手指上戴着一个精美闪亮的戒指。今后只要在船上妇女群中暗暗留心,也许可以知道这个女子是怎样一个人,自己可以在暗中保护她,不让她再受罗可夫的威逼和欺辱。

有一天,泰山躺在甲板上的椅子里,沉思着自己的种种见闻,这几年来,自从接触了所谓万物之灵的人类,虽然也遇到过几位正直善良的朋友,但看得更多的却是奸诈、阴险、贪婪和残忍。于是他闭起眼睛,联想起了丛林中的一些情景。

养母卡拉被黑人的毒箭射死了。它虽是大猿,但对自己的慈爱抚养、无微不至的关怀,并不减于人类,泰山无论如何不能忘记这个养母。继而想到那次在船上,船员杀死船长,一场混战,人类互相残酷杀戮的情景……泰山不由得暗自感叹:天哪!人类的残酷不仁,难道到处都是一样吗?野兽杀死猎物,只是为了充饥,吃饱之后是不伤害其他动物的。可是人类为什么这样残暴,这样贪得无厌呢?他们仗恃万恶的金钱,换取在自己看来是毫无意义的所谓快乐,长期受着社会上种种虚伪的束缚,不知不觉地变成了金钱的奴隶。他们还自以为是万物之灵,其实真远不如丛林中的野兽,倒还有点天然的仁义心性,懂得同类相助呢!这样一想,泰山又不禁悔恨起来，觉得自己不该远离自由自在的丛林，生活到这罪恶污浊的人类社会中来，自己此行真是不值得。

泰山毕竟是在野兽群中长大的，虽在沉思，却并没放松对周围的各种警觉，他忽然觉得背后有人走来，并且在注视着他。他以前的野兽习性，不由自主地迸发了出来，于是以超常人的速度转身一望，原来是一个美丽的少妇在偷望着自己。她没防备到泰山会如此迅速地转身，而且目光如电地逼视着她。她明丽的目光已与泰山鹰隼一般的目光正好对视在一起，窘得她满脸通红，连忙转过脸去。泰山也觉得自己这一举动未免有些唐突，那么急转身瞪大了眼睛盯着人家，显然太不礼貌了，也觉失态，于是又躺回椅子上去。泰山的目光在丛林中练得非常敏锐，只这一眼，他把那少妇的容貌已经看清楚了：这女子秀眉长睫，一对明丽的大眼睛，有一种楚楚动人的魅力，连厌恶人类社会的泰山，此时也不免为之心动。这时那女子也离开了甲板。泰山从背后看着她的身影，总觉得有点眼熟。这时，她的丝围巾被海风吹乱了，她举起手来，牵住它整理好。泰山瞥见她的手指上有一个精美闪亮的戒指，正与不久之前见到的那个戴面纱女子所戴的一样。泰山感到非常奇怪：这样一位美丽而有身份的少妇，怎么会和罗可夫那样的恶棍相识呢？她和那个俄国恶棍有什么关系呢？

吃过晚饭之后，泰山又到甲板上去散步。他和大副闲谈了一阵，后来大副有事走开了。泰山一人伏在船栏上，望着海上生明月的美景，无际波涛，映着明月，真是一幅美丽的图画。忽然听得甲板上有脚步声，渐渐走近，泰山敏锐的听觉和嗅觉都告诉他来者又是罗可夫和鲍勒维奇。于是他留心着，准备尾随他俩，看他们又要干什么坏事。幸好他站的地方,有一根船柱遮着他,没让那两人看见。泰山只听得他们说:"如果那女人喊起来,你就掐住她的喉咙!"

泰山听了,吓了一大跳,就蹑手蹑脚跟着他俩,努力隐蔽着自己,不敢有一点大意。只见他俩走到吸烟室门口,向里探视了一下,似乎在看他们要找的人是不是在里面。过了一会儿,他们似乎判明了情况,果断地转身就走,照直向头等舱走去。泰山担心被他俩发觉,一路东躲西藏,尽管那两个坏蛋不时回头察看,可是泰山轻快灵活,始终未被发现。等他们在一间房舱门前停住时,泰山就闪避在一边,离他们约有一丈光景。

只见他俩开始敲门,里面一个女人的声音,用法语问道:"谁啊?"

"奥尔迦!是我,尼古拉,我可以进来吗?"罗可夫轻声回答。

"罗可夫!我可没有伤害过你,你为什么总是不放过我呢?"那女人又急又怕的声音从门里传出来。

罗可夫装出诚恳而柔和的口气说:"奥尔迦!你别怕,我来只是想问你几句话,我对你没有恶意,决不伤害你。我也不进你房里去,但我不能把这几句话站在门外高声问你啊!所以无论如何请你开开门,我只在门口问完了就走。"

泰山听到开门的声音,立刻探出身来,用他明亮的眼睛注视着开门以后的事。因为他记得刚才在甲板上听到的那句可怕的话:"如果那女人喊起来,你就掐住她的喉咙!"这分明是有害人之意。

罗可夫站在门口,鲍勒维奇贴着门外的板壁而立。门开了,罗可夫立即侧身挤进门去,露出狰狞的面孔,低声问了几句什么。泰山站的地方看不到那女子,只能听到她的声音,而且字字都听得很清楚。她说:"不!这是没有用的,虽然你不断来恫吓我,但我决不会答应你的要求,你必须离开!立刻离开!你方才不是答应过我,不进来的吗?"

罗可夫说:"奥尔迦!你要想让我离开这里,必须首先答应我的要求。我告诉你,我是不达目的决不罢休的!否则,你要想让我不再来找你,可没那么容易!你和你丈夫无论走到哪里,都休想有清静的日子过!"

"不行!罗可夫!"那女人的语气也很坚决。泰山看见罗可夫掉转身来,对鲍勒维奇点点头。他自己从门里退出来,让鲍勒维奇进去,然后他把门关上了。泰山听到鲍勒维奇从里面锁门的声音。罗可夫站在门外,侧着头听里面的动静,脸上堆满了得意的狞笑。

泰山听见门里面女人的声音高了起来,她高声命令鲍勒维奇出去,说:"你要再不出去,我就要喊起来了,我丈夫赶回来,一定会收拾你!"

鲍勒维奇冷笑几声说:"夫人!你的丈夫不用你喊,他很快就会回来。已经有人去告诉他了,就说你和一个陌生男人在房里幽会呢!"

"滚!下流胚!这我是不怕的,我会向伯爵说明白,他会相信我!"她叫道。

"当然,伯爵会明白并且相信这件事,可是船上其他人不会知道底细,报馆的记者更不会知道底细。他们听到了,都会认为这是条绝好的新闻。至于你在巴黎的朋友,只需要隔两三天,就会从报上读到这条丑闻,您这位贵妇人和陌生男人幽会!他们会引为笑柄,你休想再在上流社会活动!而且他们还会知道,和你幽会的人不是别人,正是你哥哥的仆人!"

她似乎被激怒得大胆起来,厉声说:"你这流氓!我只要对你说出一个人的名字来,你会吓得没命的!你给我滚出去!别再来打扰我、恐吓我!"

过了片刻,里面寂静无声了。泰山屏息静听,正猜想着屋里到底发生了什么事,忽然听到一声清脆的耳光声,接着就是男人的吼声、厮打声、女人的呼救声,这些杂乱的声音只持续了一会儿,就突然寂静无声了。

泰山知道房里已经有危险的事发生了,他飞身跳到门口,罗可夫一见泰山,吓出一身冷汗,转身就想逃命,早被泰山一把抓住,拖了回来。泰山用他铁一样的肩膀一撞,门立刻被撞掉了。他拖了罗可夫进去,只见靠椅上倒着一个女子,鲍勒维奇正用双手掐住她的喉咙。她挣扎着,双手乱舞,拼命想扳开恶徒的手。

鲍勒维奇听见有人撞开门进来了,也吓了一跳,转身一看是泰山,又恨又怕,他一松手,那女子也从椅子上坐了起来,右手抚摸着喉咙,呼吸似乎还没恢复正常。此时她虽然惊魂未定,头发散乱,泰山仍旧认出了她就是几天之前在甲板上和自己四目对视的那位美丽的少妇。泰山问罗可夫:"你这是要干什么?"罗可夫瞪着泰山,一声不响。泰山接着说:"赶快按铃,叫船上管事的人来!杀人害命,这可不是一件小事了!"

出乎泰山意料的是,那女子竟奔上前来说:"不要!不要!请你千万不要按铃!他们并不是故意来伤害我的,是我触怒了他,他才这样做的。请你原谅,我实在不愿意把事情闹大!"

那女人向泰山苦苦哀求,泰山十分愕然,而又无计可施,他不忍违背她的意思,就问她:"你真的不要我这样做吗?"

"是的,我请求你不要这样做。"

泰山问:"那你可是希望这两个恶徒再来骚扰你?"

她听了这问话,露出很为难的样子,涨红了脸,答不出话。泰山看看罗可夫,他正露出一脸得意的狞笑。这女人明白这两个恶棍的用心,但她怕他们,不敢当着他们的面对泰山说出真话。

泰山说:"既然这样,让我来收拾他们。"泰山又对罗可夫说:"你们听着!从现在起,到上岸为止,我会一直留意你们。只要发现你们再为非作歹,发现你们再得罪这位夫人,我一定让你们尝尝我的厉害!你们如果不信,现在就试一下给你们看!"

泰山抓住了罗可夫和鲍勒维奇,用力推出门外,又每个补上一脚,把两人踢出老远。泰山进到舱里,见那女子紧张的情绪还没松弛下来,就说:"夫人!如果以后这两个恶徒再找你生事,请不必客气,通知我就是了。"

那夫人说:"是!先生!我希望你不再为今天的事而生气。但你已经和他们结怨了,他们是习惯于暗箭伤人的,并且不达目的,决不罢休,请先生务必格外小心!"

"请夫人放心,我就是泰山。"

"啊!泰山先生!我真感谢你!请不要因为我反对法办他们两个而误认为我不知好歹。我真不知该怎样报答你的恩惠呢!"泰山觉得不便在此久留,便告辞出来,回到甲板上去了。

泰山心里现在真是疑云重重，他想不明白，为什么船上会有两个行动如此相似的人——这女子和伯爵，明明被罗可夫等欺侮了，又百般维护，不愿把他们送官法办。他忽然想起，刚才自己太疏忽了，竟忘了问问那位夫人的名字。

泰山的警告确实产生了效果，这一路上，罗可夫和他的伙伴没再滋事。船就要到终点的前一晚，泰山在甲板上又遇见了那位夫人，彼此都坐在甲板的椅子上，她含笑相迎，表示感谢。她唯恐泰山因为她和罗可夫之流有往来，而误会她身份不高，委婉曲折地说了许多辩白的话。最后她说："我想泰山先生不会看不起我吧？那天遇到的事，不但让我遭受了很大痛苦，对我也是个莫大的耻辱呢！"

泰山表示理解这一切，并说自己已经知道这两个恶徒惯于害人，手段毒辣。那天在吸烟室，自己已预先听到了他们的阴谋。坏人陷害好人，对好人的高贵不会有所玷污，自己决不会为此事介意。

那女子说："谢谢你能这样看。我早已听说那次赌纸牌的事了，我丈夫已经详细告诉过我了，他非常赞佩你见义勇为的精神。你救过我们夫妇二人，真是感激不尽！"

"你的丈夫？"泰山一下子感到有点奇怪。

"是的，我就是兑·库特伯爵夫人。"

"噢！这么说我能为伯爵夫妇效劳，真是有幸了！"

"请先生别这样说，我们夫妇受了先生的大恩，常常铭感于心呢！"说着，对泰山嫣然一笑，然后走开了。泰山总觉得伯爵夫人这一笑里，似乎不只限于感谢，仿佛还蕴含着些别的什么内容，这一笑,在泰山心里留下了很深的印象。

第二天早晨,船已靠岸,大家都匆匆上岸。旅客们从此人海茫茫,各奔东西了,可是泰山心里一直忘不掉伯爵夫人那颇具魅力的一笑,今后,还能有机会再看见她吗?

三
莫尔街事件

泰山此次再到巴黎,立刻去看他的老友得·阿诺。得·阿诺一见面就责备他,为什么甘愿放弃父亲留下的爵位和财产:"朋友!你难道疯了吗?无缘无故放弃你自己应得的爵位和财产。如果你继承,就足以证明你有英国的贵族血统,而不是母猿的后代。最使我不可理解的,是琴恩小姐居然也会相信你的话,我却无论如何也不相信你是大猿的后代。尽管在非洲丛林中时,我曾亲眼看见你用锐利的牙齿吃生肉,像野兽一样,吃完了把手上的腥血往身上抹,我仍不相信你是人猿种族。你承认卡拉是你的母亲,我认为这完全是搞错了的。从你父亲留下的日记上,完全能看出他是怎样被迫流落到荒岛上的,也能够读到你母亲在非洲的生活状况,以及你出生的经过,日记册上至今留有你的小指纹。我真不明白,你为什么要放弃贵族的辉煌地位,反而去做一个没有来历的穷汉!"

泰山回答说:"我只用我的原姓格雷斯托克就成了。至于说做没有来历的穷汉,那又有什么大不了?我又不是不能自食其力,现在我唯一需要你帮助的,就是给我介绍个职业。"

得·阿诺连忙解释说:"别这么说!我并不是这个意思!我已经

多次对你说过了，我的钱，不要说两个人用，就是供二十个人用也足够了。我可以分一半财产给你，其实即使让我把财产全部都给你，也不足以报答在非洲时你救我的恩德。我忘不了你舍生忘死的勇敢，如果没有你冒险救我，恐怕我早已葬身在野人腹中了。我更清楚，你为了看护受了重伤的我，而牺牲了自己的一切。等我伤愈回到海滩上时，琴恩小姐已经走了。我完全明白，你为了救一个不相识的人，自己承受了极大的牺牲。泰山先生！现在我要给你钱，不是说金钱可以报你的大恩，只是知道你需要钱用。现在暂时用钱来酬谢你，将来有机会，我还要给你更大的报答。"

泰山笑了笑说："我们何必计较金钱呢？不过，目前我要生活，衣食住行，样样需要用钱。但是闲逛的生活我是过不惯的，有事做比有钱更好。我想，任何人都会跟我一样，你给他职业，比给他钱好。我生性好动，如果没有个职业，长期闲荡下去，我会变成废物的。至于爵士的地位和财产，威廉·克莱顿并不是故意要抢夺我的，他自己也很相信他是真正的英国爵士，只要合法，他自然要做。你不知道，实质上，他做爵士比我合适。现在的我虽说受了一点教育，但对人类社会有不少地方还是不能适应，我还没完全蜕尽兽性。况且，我为了证明自己的出身，夺回爵位和财产，必然会损害我心爱的琴恩的前途，我怎么忍心这样做呢？我实在认为家世门第并不十分重要，不论人类还是兽类，凡不是靠自己力量挣来的东西，都是没有价值的。我把卡拉当作自己的母亲也并没有错，它为了让我长大，哺育我、抚养我。自从我的生身母亲死了以后，就由它慈爱地做了我的母亲。它为了我，可以说历尽了千辛万苦，如果没有它，我万万生存不到今天。从这些看起来，它并不亚于我的生身之母。我深爱卡拉,当它被黑武士的毒箭射死时,我还是个小孩子。当时我情不自禁抱住它的尸身,哭了个天昏地暗,就像失去了亲生母亲一样。我不大能理解,为什么在你看来我的养母总是异类,你对它总是带着一种鸟兽不可与之同群的感情。但是它在我心里,实在是个慈祥和蔼的母亲,因此,我心甘情愿地崇敬它是我的母亲,尽管它是大猿。"

得·阿诺说:"我很尊重你的知恩念旧,但是将来总有机会,你可以改姓归宗的。你应该明白,只有波德教授和菲兰得先生两个人,才能证明你父母屋里的那副小人猿骨骼,并不是你生母爱丽丝所生的孩子,这个见证是很重要的。但是现在他们两位都已风烛残年,来日无多,万一他们两位去世之后,就没有人再能证明这点了。假如琴恩小姐知道了你的真实身世,也许会和威廉·克莱顿解除婚约的。到那时,你会有幸福美满的婚姻、高贵显赫的爵位,难道你没有想过这些吗?"

泰山摇头说:"你对琴恩小姐恐怕了解不深,她是美国南方的世家闺秀,不是个没有教养的势利女子。即使威廉失去了地位,我想,她也不会和他毁约的。"

泰山花了两个星期的时间,把这有名的世界花都畅游了个痛快,然后,他就投入了自学生涯。他白天到图书馆去阅读书报,这里面藏着全世界人类所有的文明成果,他带着一种惊讶的心理,贪婪地读着那些书,日积月累,他的知识变得渊博起来。虽然他因为书籍太多,很难遍览而有点发愁,但他也坚定地认为,如果下决心求学问,苦下功夫,尽心研究,总会有成绩的。但他并不读死书,钻进书海里不出来;到了夜晚,他也到娱乐场所去。巴黎的夜生活，是丰富而有趣的。有时他还学着文明人的样子，抽烟、喝酒，然而他却不沉湎于此，因为在他内心深处，总有难言之痛无法排解，因此他难免有点儿借酒浇愁的味道。

有一天，泰山正在一个歌剧院里一边欣赏一个俄国女子的舞蹈，一边饮着酒，忽然，他独具的特殊敏感告诉他，有一双恶狠狠的黑眼睛，在另一包厢的帷幕后面偷偷地盯着他。他欲仔细看时，那家伙很快混入人群中，不知去向了。泰山没有来得及看清那人的面目，但隐隐约约有面熟之感，他心里疑惑那人是否看清了自己。想了一会儿，他就走出了歌剧院。

泰山出了歌剧院，走上归途，由于自己力强胆大，又是在巴黎的热闹街头，他没把刚才那件事放在心上。其实那个人一直盯着他，就在剧院的玻璃门对面，那人还躲在角落里偷窥着，他跟踪泰山已经许多天了。往日，泰山总有得·阿诺做伴，今晚得·阿诺另有应酬，所以泰山是独自出来的。

泰山出了剧院之后，那躲着等待他的人，已经抄近路飞奔而去，抢到了泰山的前面。

每天晚上，泰山总喜欢从一条叫作莫尔街的街道上走过，因为这条街非常僻静，似乎能使他重温丛林中所特有的荒僻风味。熟悉巴黎的人都知道这条又狭又暗的街道，晚上，几乎没有行人。这一晚，泰山在这条昏昏暗暗的路上独自走着，才走到一半，就听到一个女人狂呼求救的声音从对面三楼上发出来。泰山当然不会听到而不管，所以没等再听到第二声，就不假思索地冲进了那幢房子，几个箭步就跳上了三楼。

在三层楼上的一个房间里，门半开着，一个女人的呼救声就是从这里发出来的。泰山仔细一看,房中光线黑暗,只点着一盏老式的高脚煤油灯,发着昏暗的光。房子里十几个横眉立目的人围着一个女人。那女人大约有三十多岁,衣着还算整齐,眉目神情却不像个规矩人。她用双手护着喉咙,靠墙站着,一见泰山进门就大声喊叫:"先生快救我!他们要谋害我啊!"

泰山向四下一望,只见那群恶棍既不出声音,又站着不动,心里正感到奇怪,忽然听到背后有极轻的脚步声,似有一个人要从房里往外溜,泰山迅速回头一看,正是罗可夫。泰山还没来得及去抓他,身后另外一个身材高大、面目狰狞的壮汉,手里握着一根粗大的短棍,从泰山背后蹑手蹑脚上来;另外十几个恶棍,也满以为泰山已钻进了他们设下的罗网,绝对无法逃脱了,于是一拥而上,直逼泰山。那握短棍的大汉把短棍对准泰山头顶用力劈下,这一下如果打中了,一定会使泰山脑浆迸裂,立即送命。尽管他们人多势众,也都是有力气的,然而,要想和在丛林中与狮象斗惯了的泰山动手,那也只有失败这一种结果了。

那持大棍的壮汉用尽一身的气力,从背后对准泰山头顶打来,泰山只一闪身,就避开了。乘这一棍打空之际,泰山顺手一拳,打中了那大汉的下巴,大汉马上跌出很远去。泰山见众人无端围攻他,气得发起威来,左冲右突,把这几个人打了个落花流水。泰山与他们打斗,不费吹灰之力,好像摔一只容易破碎的蚌壳一样。

罗可夫并未走远,停留在二楼的楼梯上,听着上面的动静。他以为泰山在寡不敌众的情况下,一定会被打成肉泥。然而他越听越不对劲,事情似乎没按他的愿望发展。

那女人始终站在原处,但她的神情却在不断地变换着。始而装出受害的样子呼救,继而显出得意的神色,然后渐渐惊慌起来,到最后,她被吓得发抖了。楼里的人谁也没想到,泰山忽然发出一声长啸,令人毛骨悚然!当她看见泰山用雪白的锐齿去咬一个人的喉咙时,她吓得没命地大叫:"这儿有野兽呀!救命!"

恶徒们尝到了泰山的拳脚之后,知道自己不是他的对手,纷纷夺门逃命,其中有一个人已经倒在地板上的血泊里了。这时罗可夫已经明白,他布置的圈套白费了。于是他奔到附近,打电话去报警,说莫尔街二十七号三楼上出了命案,快来抓凶手。

警察迅速赶来了,看见有三个人倒在地上痛苦地呻吟着;一个徐娘半老的女人,躺在一张肮脏的床上,双手掩着脸;屋里站着一个健壮俊美的男子,作出一副迎敌的架势。原来泰山听到楼梯上有脚步声,以为恶徒搬来了救兵,他这时的感觉就好像自己站在海滩旁,被狮子包围了,他在瞬间静止中恢复一下精力,再投入战斗。

"出了什么事?"有一个警察问。

泰山把经过简略地说了,又叫那女人站出来证实他的话。

谁知那女人竟对警察说:"他说谎!他进来时,屋里只有我一个人,他要对我强行非礼,我拒绝他,他就动手打我,若不是我很快呼救,恐怕我早没命了。幸而这几位先生闻声赶到,才保护了我。你们看他力气有多大,这十几位先生都被他打倒了,我一个女人家,怎能是他的对手?他对付人,不但用拳脚,还用牙齿呢!"

泰山听了这话,又惊又气,这女人竟会这样昧着良心,瞪着眼说瞎话,完完全全地颠倒黑白。这样一来,警察自然也难辨真假了,虽然他们明明知道,那女人本不是个规矩人,可听她所说似又入情入理,出于职责所在,他们只好把所有的人一齐带到警察局,等审讯了再说。

警察把这个意思也告诉了泰山,泰山说:"我没有罪,我听到女人呼救,为救人才上来的。上来之后,这些人无缘无故地打我,我出于自卫才打他们。只是,我不明白,我和这女人素不相识、无冤无仇,她为什么这样颠倒黑白、血口喷人呢?若不为救她,我才不会上来呢!"

"你们公说公有理,婆说婆有理,在这里怎么弄得明白?走!走!都到警察局去说吧!"警察说着,就准备去拖每一个人,哪知泰山始终不服,警察捉不着他,他东跳西闪,使警察们摸枪都来不及。

泰山眼快,看到有扇窗是开着的,窗外影影绰绰有根东西,看不清是树还是电杆。这时有一个警察已掏出手枪,向泰山开了一枪,由于枪开得太慌,没有打中,正准备开第二枪,泰山手疾眼尖,把那盏昏暗的煤油灯打碎了,屋里顿时一片黑暗。泰山趁此机会从窗口跳了出去,飞一样地跳上了电杆。等到警察聚拢到窗口,那个倔犟的"犯人"早已无影无踪了。警察们赶到楼下街上去找,也没有找着。

警察只好带着没逃走的一群恶徒和那个女人回去,一路上拿他们出气。因为警察心里也不痛快,他们明白这件事很难向上级报告,一个手无寸铁的人,怎么会打倒了这么一大群人?而且有枪的警察都制服不了他,倒好像他们有意放走他一样。那名留在街上望风的警察,一口咬定说没有人从窗口跳下来,虽然大家都不信他的话，但是又拿不出确凿的反证。

原来，泰山吊在窗外的电杆上，他按照丛林中养成的习惯，本能地先向下探望一下，看看下面有什么。这时他发现下面恰好有一个警察，于是他向上爬去。电杆的对面正好与路那边的楼顶相对，他立即使出在丛林中练就的本领，轻轻地跳上了对面的楼顶。他在上面走，轻捷如猿猴。经过了一条街，他发现了另一根电杆，于是他顺着这根电杆溜下了地。

到了平地，他飞快地奔跑，进了一家夜总会的咖啡座，找到更衣室，洗净了手上和衣上的泥土，把一切都弄妥帖了之后，从从容容地走回寓所。

泰山回寓所的路上，经过一条灯光明亮的大街，路两旁植着成行的树，他想过街到路对面去，于是伫立在明亮的路灯下，等着远处的一辆汽车驶过。忽然听到一个女人用很温柔的声音叫他的名字，泰山回头一看，原来汽车上坐的是伯爵夫人奥尔迦。他向她鞠了一躬，等他抬起头来时，车子已经开过去了。

这样一来，泰山心里又有点不平静起来，他暗自想道：真奇怪！在同一个晚上，会碰见罗可夫和奥尔迦这两个截然不同的人，谁说巴黎很大呢？

四
伯爵夫人的倾诉

到了第二天早晨,泰山去看得·阿诺,并把在莫尔街遇到的事详详细细地讲给他的老朋友听。末了,泰山说:"在你们文明的巴黎,讲到安全,也许比荒野的丛林中还靠不住,不然,他们为什么引诱我到那儿去?难道他们饿了吗?"

得·阿诺听着他的叙述,心里暗暗为他担忧,这件事将来如何了结呢?听到泰山拿巴黎和丛林比,不禁笑起来说:"大约要你记住,不要拿丛林里的标准来衡量文明社会的行为,是很不容易的吧?"

"文明社会?"泰山嘲笑地说,"我在荒野中,并不一味残杀,有时要这样做,只是为了猎取食物,或者是自卫,这是一种自然规律啊!可是文明人呢?真的还不如野兽,预设了陷阱,引诱一个毫无提防的目标落入圈套,这是什么行为呢?我是听到了呼救声去救人的,哪知谋害人的人早在那儿等着呢!我无论如何也想不到会有那么卑鄙的女人,对救她的人反咬一口。现在我算明白了,准是这么一回事:罗可夫指使那女人诬陷我,他一定知道我每晚都经过莫尔街,于是计划好了引我入圈套。那女人无非像演戏一样,按照节目来表演一番罢了。"

得·阿诺说："我不能再教你别的方法了，你只有绕开莫尔街，不要再走，除此之外，没有更好的办法。"

泰山听完得·阿诺的话，微笑着说："那可不行！这条路在巴黎要算最别有风味的，以后只要有机会，我决不会放过，还是要去走的。自从我离开非洲丛林之后，再没有遇到过第二条这么僻静的路，能让我把丛林中学来的本事，淋漓酣畅地实践一番呢！"

得·阿诺说："你别高兴得太早了，我看马上就要让你尝尝后果的滋味了，你知道吗？你和警察冲突的事，还没解决呢！他们不会放过你的，他们会追捕你，捉到之后，请你尝尝铁窗的滋味。如果这样，泰山，你怎么办？这可不是说着玩的，只是个时间问题呀！"

"看他们谁能关住我人猿泰山！"泰山说此话时露出了兽性，两只灰色的眼睛里闪出了凶光，杀气腾腾，把法国年轻中尉吓了一跳。得·阿诺深知泰山素来敢做敢当，绝对不会屈服，他凭着血气之勇，根本不管什么法律不法律，很可能因此而惹出祸来。于是得·阿诺劝他说："有许多你不懂的事，还是应该学学，尤其是法律，你懂得了，才好遵守。你不服从警察的指挥，你就违反了法律。因为法律是保护公民的。至于昨晚莫尔街发生的事，现在我就和你到警察局去，找我的老朋友，要求他把这一场误会做个了结。"

半个小时之后，他俩到了警察局，会见了局长。那局长是得·阿诺的老朋友，很客气地接待了他俩。他还记得几个月之前，泰山和得·阿诺去验指纹的事。

得·阿诺陈述了前一天晚上发生误会的整个经过，警察局长听完了,表示又好笑又无可奈何,摇着头笑了笑,立即叫人去召那晚在场的几个警察进来,同时在办公桌上拣出了那宗案卷。他转过身来对泰山说:"先生,你犯了殴打司法人员的罪,若不是我的老朋友来疏通,详细说明事件经过,是一定要依法究办的。现在我已去召当事的那几个警察进来,看看他们的意见怎样,再作决定。我还必须告诉你,对于'遵守'这个词,你应该注意,凡是你觉得奇怪的事,或认为讨厌的事,都必须按照文明社会的习惯,该接受的就必须接受。讲到你殴打的那些警察,他们无非是在尽自己的职责。他们每天冒着生命危险,保护这里的民众的生命和财产。他们对于你,也同样是保护的。他们都是勇敢的人,你却在他们执行公务时打了他们。他们并没有无礼冒犯你,你却把他们打得落花流水,这不是向法律挑战吗?于情于理都不合,你应该好好想一想。不过我觉得,你也是个英雄,英雄是应该宽宏大量的……"

这时几个警察进来了,打断了他的话。那些警察看到泰山也在这里,每个人都露出了惊奇的神情,昨晚这个人神出鬼没地跑了,今天怎么自己来了?局长和蔼地对他们说:"孩子们!这位就是昨晚你们在莫尔街遇到的青年,现在他来自首了。我希望你们听听得·阿诺中尉的话,就可以知道这位先生过去的经历和昨晚误会的来由了。"

得·阿诺和几位警察讲了半个多小时的话,详细地告诉了他们泰山在丛林中的生活。最后得·阿诺又进一步解释说:"泰山由于在荒野中养成的习惯,认为只有动武,才能保护自己。不用说,人是会运用大脑来思考的,但是,在野兽群中生活惯了的人,只会顺着本能的冲动来判断事情,到了急切的时候,绝对不会有思考的余地。至于昨晚他和你们的冲突,他是完全没有恶意的,当时他只认为,凡是要打他、要逮他的,没有一个不是他的仇敌,所以难为了诸位。但诸位也决不要以为打不过他是丢脸的事,因为论起所受的锻炼,诸位实在没法和他相比,譬如把你们和一头斑斓猛虎关在一间屋里,你们赤手空拳,恐怕制服不了它,因而会吃亏,这决不能说你们不勇敢,尽管你们打不过老虎,你们仍旧不失为英雄。然而泰山在蛮荒中,是身经百战的,狮虎落到他手里,只有狮虎没命,所以,你们能和他搏斗,已经十分难能可贵了。"

几个警察都望着这高大的人猿,想听听他要说什么话。这时泰山却做了一件很得体的事,消减了警察们的余怒。他走近他们,与他们一一握手,表示谢罪,并诚恳地说:"昨晚多有得罪,我很抱歉,诸位能允许我和你们做个朋友吗?"

这场纠纷就这样了结了。泰山做了这样一个谦逊的表示,反而交了几位警察朋友。

当他和得·阿诺回到寓所时,看见案头放着一封信,写信人是威廉·克莱顿。原来得·阿诺和威廉也是在困难中结识的朋友,分手以后,经常有书信往来。

"两个月之后,他俩将要在伦敦结婚了。"得·阿诺看完了信,只说了这样一句话。泰山听到"他俩"两个字,心里早已明白了,也就不再追问。他没再说话,只默默地沉思,好像满腹心事。

这天夜晚,泰山和得·阿诺一同去看歌剧。但泰山总是垂头丧气,打不起精神来。虽然他身子坐在剧院的软椅上,但是台上的表演和歌唱,他似乎都视而不见、听而不闻,一心想着琴恩。往事如梦,不堪回首,在他怅惘的情绪中,似乎有一个声音在对他说:爱已经结束了,事情已经没有挽回的余地了。

泰山思前想后,觉得还是摆脱烦恼的情网为好。忽然他敏锐的感觉告诉他,好像有一个人在向他眺望,他抬头一看,正是伯爵夫人奥尔迦,她脉脉含情的大眼睛,正从另一个包厢里看着泰山,泰山也立刻向她打了个招呼。看她的样子,似乎很欢迎泰山过去谈谈。

过了一会儿,泰山已经坐在奥尔迦的包厢里了。她说:"我非常仰慕你,很久以来想和你见一面,苦于没有机会。你救过我丈夫和我,叫我怎样报答你呢?而且,我还没有告诉过你,我们为什么不愿究办那一对恶棍,很像是我们不识好歹。"

"夫人!请别那么说,我从来没有这样想过,你不必心存歉疚,那一对恶棍近来还来打扰你吗?"

奥尔迦微微蹙起眉头说:"当然!我很想找个人商量一下,但想来想去,找不出第二个热心仗义的人,只有告诉你是最合适的。希望你不要说出去,我才能对你直言相告。你知道了这些,对你或许也有益,因为我深知罗可夫的为人,他决不肯对你善罢甘休的。我把底细告诉你,若他来害你时,也便于你设法破坏他的阴谋。这里人多耳杂,我不便于对你讲。明天下午五点,请驾临寒舍一叙,我恭候先生!"

泰山起身说了一声"明天见",就走开了。

在剧院的另一个角落里,正坐着罗可夫和鲍勒维奇,他们看见泰山在伯爵夫人旁边低声说话,便相对冷笑了一下。

第二天下午四点多钟,一个身材矮小而有胡髭的人,按着伯爵府上的门铃。仆人开门一看,显然是一个熟人,那人低声向仆人说了些什么话,仆人显出不愿意照办的神情。后来那人拿出一样东西,塞在仆人手里,那仆人就转身领他到客厅旁边用帘幕围着的一间小屋里去了。这里是伯爵饮茶的地方。

过了半小时,泰山被领入客厅,女主人含笑出来迎接,说:"先生果然光临,我非常高兴!"

"那当然是不好失约的。"泰山很有礼貌地说。

泰山和伯爵夫人对坐在一起,起初有一段时间觉得无话可谈,于是拉杂地说到音乐,说到他们在船上的初次相识。伯爵夫人渐渐地把话引到正题上来了。

奥尔迦开始讲述为什么不愿意究办罗可夫的原因了。她说:"你一定很奇怪,我们为什么宽恕这两个恶徒,现在让我从头告诉你。罗可夫为什么要陷害伯爵呢?因为伯爵是法国参谋部的重要官员,他保管着军事上的秘密文件。这东西如果被外国人得到了,会危及到法国的存亡。正因为如此,一些外国间谍不惜采用种种卑鄙手段,来攫取这些文件。罗可夫和鲍勒维奇都是俄国间谍,他们在船上多次设圈套陷害伯爵和我,目的都是为了这些文件。一旦他们把这些文件弄到手,卖给俄国政府,他们就可以升官发财了。在船上,他们几次破坏我们夫妇俩的名誉,就是想泄露给报社作威胁,使伯爵就范,答应给他们情报。如果几次没有先生奋力相救,我们夫妇俩的名誉便会扫地,伯爵在高级军事机关和上流社会就会难以立足。

"第一次他们利用打牌讹诈伯爵,遇到了你,他们的一番心计付诸流水。第二次又来要挟我，鲍勒维奇到我房里来，也是逼我交出文件的。我严词拒绝，罗可夫就准备造谣，诬蔑我在舱里和别人幽会，希望在报上造成丑闻。这都是他们出于同一目的，来勒索伯爵和我的阴谋。他们的心计真是恶毒之极。然而我也知道鲍勒维奇的一件密事，如果把这件事报告给俄国政府，鲍勒维奇这家伙就休想活命了。于是当时我用这秘密去抵制他，在他耳边说出了一个名字，哪知他恼羞成怒，恶狠狠地卡住了我的喉咙，如果先生不来相救，也许我早死在他手里了。"

泰山听到这里，气哼哼地骂了一句："畜生！"

奥尔迦歇了一下，接下去说："当然，他们甚至比野兽还要凶，简直是恶魔！现在你和他们结了不解之仇，我也很担心他们会报复你，我希望你好好提防着。"

"我为什么要畏惧他们呢？我平生遇见的凶恶的仇敌，有比罗可夫还厉害得多的，我也不介意呢。"泰山说着看看奥尔迦的神情，她好像对于莫尔街的事件一点儿也不知情，因此他也就不提起了，深恐告诉了她，反叫她担心。他接下去又问："那么，为了你们自己的安宁，为什么不把他们送官究办呢？"

奥尔迦略停了一停，大概在考虑应该怎样回答泰山。最后，她似乎下了决心，说："这里面有两个理由：第一，如果送官究办，难免伤他们性命，伯爵每想到这一层，总是于心不忍，很难下手；第二，我有一件私事，恐怕罗可夫给我公开出来，这件事除了他之外，再没有第二个人知道了……"

她说着，欲言又止，脸上微露羞涩的神情，看着泰山。停了许久，泰山笑着问她："我不懂你的意思。"

奥尔迦抬起含情脉脉的眼睛，望着泰山，终于下了决心说："我自己也不懂，为什么连我丈夫都没告诉过的事，我却有勇气告诉你。因为我相信你，你一定能理解我，为我解决困难，并且不会过分责备我。"

"我恐怕会辜负你的期望吧？我想，我大概也是个没用的仲裁者，但愿你的秘密不是杀了人。"

"啊！不是的，我再告诉你，伯爵之所以对他们下不了手，还有一层原因，那就是罗可夫是我的同胞哥哥，我们都是俄国籍。但他从小就没出息，甘居下流，开始在俄国当军官。因为品行不端，他被开除了。全靠父亲为他奔走疏通，日子久了，那件案子才没再提起了。我父亲又秘密为他谋了一个职位，就是在谍报局里工作。他干的坏事真是一言难尽，可是他生性奸诈狡猾，每次都被他逃脱了罪责。后来，他更胆大妄为了，凡是他的仇人，他就去密告他们图谋叛乱，俄国警署也不认真调查，就把那些被告密的人处决了。"

"他虽然是你的亲哥哥，你们还顾念骨肉之情，不忍下手。他可是无情无义，屡次来对付你们夫妇，难道你们就因为亲情，不把他明正典刑，替社会除害吗？"

"事情还不是这样简单，我屡次受他挟制，是因为我有一件不可告人的秘密在他手里呢！"

她说到这里，长睫毛里滚动着泪珠，停了一阵才说："我把事情都告诉你吧！我以前在修道院读书的时候，认识一个男人，他的来历我全不知道。那时候我年纪小，思想单纯，既不懂得观察那男人的为人，也不懂什么是爱情，只糊里糊涂地觉得他对我好。

那人逼着我和他私奔，我和那男人在一起，只有三个小时的时间，而且都是在白天。我们准备乘火车到某地，就正式举行婚礼。哪知才到目的地，刚要下车，忽然来了两个警官，把他捉去了，并且连我也带了去。后来我把事实向他们说明，他们终于放了我，派人把我送回了修道院。原来那个男人不是正人君子，而是个逃兵，以前还犯过别的案子。修道院把这件事瞒下了，连我父亲也没告诉。可是，罗可夫后来遇到了那个男人，审问了他这件事的始末，于是他就拿这件事做把柄来威胁我，只要我对他稍有不顺从，他便以告诉伯爵来恐吓我。"

泰山笑了说："你毕竟还是个缺乏阅历的小姑娘，我听了你刚才的叙述，认为这对你的名誉丝毫没有妨碍，与其放在心里是块石头，还不如爽爽快快去告诉了伯爵。我想，伯爵听了一定笑你惧怕得没有道理。这样一来，你卸下了心里的重担，罗可夫再没有把柄可抓，岂不是可以放手收拾他，叫他去尝尝铁窗的滋味了吗？"

奥尔迦慌了，表现出很大程度的迟疑，她说："我也希望我有这样的勇气，但是，我从小就怕男人，第一个是怕我父亲，其次是怕哥哥罗可夫，修道院里的主事人我也怕。结婚以后，看我的女友们都怕她们的丈夫，我也和她们一样。"

泰山听了，觉得很不能理解，说："女人为什么一定要怕男人呢？我认为女人应该受到男人的保护。丛林中的野兽，也是雄性的保护雌性的。假如我发现有一个女人怕我，我会很不高兴的。"

"泰山先生！女人怎么会怕你？像你这样温文尔雅，又能体贴入微的人，世界上能找到几个呢？我和你认识时间虽不长，但我已深深感到,女人有了你的保护,还有什么可怕的呢?"

过了一会儿,泰山觉得女主人的话似已说完,就起身告辞。奥尔迦含情脉脉,露出很依恋的样子,再三请泰山明天再来。他和她握手告别时,看着她的明眸笑脸,也不禁有些心神荡漾起来。

伯爵夫人送客人回来,走进客厅,冷不防看见罗可夫站在那里,吓得她倒退了几步,战战兢兢地问道:"你什么时候到这儿来的?"

"比你的情人早来半个钟头。"罗可夫眼睛斜睨着奥尔迦,冷冷地答道。

奥尔迦说:"不许这样胡说!这话也可以乱说的吗?"

"奥尔迦!你也不用动气,假如说他不是你的情人,那就请你原谅我误会了。不过,你们俩刚才的话,我都听见了。他真是个傻瓜,辜负了你一片深情。如果他略微懂得一点女人的心理,他早该把你搂进怀里热吻了。可他始终不懂你在挑逗他、勾引他,嘿嘿!真是你虽有意,他却无情!"

奥尔迦掩住了耳朵,说:"我不听你这些昏话!无论你怎样糟践我、恐吓我,我毕竟是冰清玉洁的,是清白无瑕的,这一点,伯爵也知道得很清楚。今天晚上,我就要把过去的事,全部坦白地告诉他,我相信伯爵会理解我的苦衷。你也就不用再把这事当个把柄了,以后,你就得小心你自己了。"

罗可夫冷笑着说:"哼!还好意思说玉洁冰清呢!我看你还是老实点闭住嘴巴好。今天的事,可都是真凭实据,你的仆人可以做证,还怕伯爵不相信吗?亏你自命清白,真不知羞耻!"

奥尔迦到底是个没有阅历的胆小女人,她终于没敢告诉伯爵,于是她的处境越来越糟了。在她心里充满了恐惧:以前少女时代的私奔,现在罗可夫又掌握了她背着丈夫与泰山密约的凭据。她越想越觉得可怕,看来,今后她只有在恐惧中度日了。

五
阴谋终归失败

伯爵夫人奥尔迦和泰山交往日久,感情也自然而然加深了。他们竟不能自制地越来越频繁地往来,泰山经常成为这位美丽伯爵夫人的座上客。只要有机会,伯爵夫人也尽力给泰山介绍许多朋友。

在上次事件发生后的一段时间里,她还记着罗可夫威胁的话,时间一长,没出什么事,她也就渐渐放下心来。她把泰山当作一个比较忠实而且亲密的朋友,她很关心这位勇敢的青年,但她并不爱他,同时也不希望他爱自己,所以他们的交往并不涉及私情。她的丈夫比她年龄大许多,公务又忙,她身边能有一个年龄相仿的男友,也是不错的事,于是他们两人自然而然地亲密起来了。

罗可夫暗地里却经常地注意着他们的行动,见他们如此亲密,倒也高兴。他心里暗想,正好利用他们的这种关系,找机会设个圈套,让他们上当。他料定泰山一定已经知道他们兄妹的底细,所以他对泰山越发痛恨。只等有了适当时机,一定拔去这颗眼中钉,一来给自己报仇雪恨,二来也可以除去一个障碍,以便自己为所欲为。

泰山自从和文明社会接触之后,本来对文明社会有些成见,而最近他却感到快乐了:奥尔迦对他的热情,使他的忧伤渐渐消散;同时因失去琴恩而受伤的心,也得到了一些安慰。有时得·阿诺也陪泰山一同到伯爵府上去,因为得·阿诺与伯爵夫妇原来就相识的。有时伯爵也陪他们喝酒谈天,但伯爵身居要职,常有公务没有时间经常在家,他常常工作到深夜才能回来。

罗可夫煞费苦心,总想找一个泰山单独和奥尔迦在夜间谈天的机会,他好施用毒计,但是等了许久,总是无机可乘。有时泰山和奥尔迦看戏回来,泰山照例送她回家。但只到门口,泰山立即鞠躬告辞。泰山总是比较谨慎,尤其遇到莫尔街事件之后,他更加小心了。

罗可夫和鲍勒维奇绞尽脑汁,想了许多办法,还是没有能够引诱泰山上当。可是有一天,他们所等待的机会,却意外地到来了。他们在一张晨报上看到一段简短的新闻,说德国公使在第二天晚上宴请政府要人,被邀请人的名单中有兑·库特伯爵的名字。这两个恶棍料定,假如伯爵去赴宴,一定要到深夜才能回家。

到了宴请的那晚,鲍勒维奇预先等在德国公使馆的门口,仔细辨认着那些来赴宴的人。不久来了一辆汽车,车内走出的果然是兑·库特伯爵。鲍勒维奇见目的已达到,满怀高兴地回到罗可夫等他的地方。当晚十一点钟后,鲍勒维奇给得·阿诺的公馆打了一个电话,说:"是得·阿诺中尉的府上吗?请泰山先生听电话。"约过了一分钟,听筒里有了回声,鲍勒维奇接着说:"是泰山先生吗?我是库特伯爵公馆的一个仆人弗朗索瓦,伯爵夫人命我请先生马上来,夫人有很为难的事,必须与先生商量……是什么事情,我不知道……那么我就去通报夫人,说先生立刻就来。"

鲍勒维奇放下电话,罗可夫对他笑了笑说:"他到那里三十分钟足够了。你如果能在十五分钟赶到,伯爵不出三刻钟就可以赶回家。只要我们把时间算准,这件事准成功。这里有一封信,你赶快送去,交给伯爵。"

鲍勒维奇接了信,马上出发了,赶到德国公使馆,把信交给门房,并仔细叮嘱说:"这是交给兑·库特伯爵的重要函件,请即刻送去,望多费心!"鲍勒维奇边说边塞了几个银币给那门房,然后跑回罗可夫那儿回话。

兑·库特伯爵接到信,立刻拆开来,上面写道:

兑·库特伯爵先生:

　　为了你的名誉,我不得不告诉你,你的家里将有令您难堪的恶名。数月来,但凡你不在家,必有某君逗留府上,如今,你若立即赶回家去,必有幸见到两情人唧唧私谈。

爱惜伯爵名誉者告

鲍勒维奇给泰山打电话后二十分钟,罗可夫打电话给奥尔迦。电话是女仆接的,说夫人已熟睡了,罗可夫托女仆转告:"有要事必须和夫人立即商谈,请你叫醒夫人,五分钟后,我再打电话过来。"

罗可夫放下电话,进来问鲍勒维奇:"信已交给伯爵了吗?"鲍勒维奇说:"我给了那门房几个银币,他会很快送进去的。"

罗可夫说:"好!现在这位高贵的夫人,也许已经坐在房间里,披着睡衣,睡眼惺忪地等电话呢。再过几分钟,泰山会突然到她房里去,奥尔迦见了泰山这个不速之客,虽然会惊奇,但她不会不高兴的。假如伯爵是个有血气的男子,一定会在十五分钟内赶回家去捉奸,我们的计策可以说是天衣无缝。现在,我们两个应当去喝点酒,庆祝一下我们的成功。其余的事,让伯爵去料理。伯爵是法国有名的剑术家,枪法也精,决不会让泰山得到便宜的。"

泰山到了伯爵府,说明来意,由仆人领他经过大理石楼梯,到夫人的内室,仆人开了门,撩开门帘,对泰山鞠了一躬,然后退下去了。泰山走进门,只见奥尔迦坐在写字台前,对着电话机发愣,连泰山进去的脚步声都没听见。泰山开口问她:"夫人!你有什么为难的事,急切要我来?"

奥尔迦听到声音,转过头来,看见泰山,吃了一惊,叫道:"你不是说五分钟后打电话来吗?怎么你本人倒来了?你来做什么?谁引你进来的?"

泰山听了她的话,感到莫名其妙,稍想了一下,知道情况不对,估计是中了恶人的诡计了,他问奥尔迦:"你没有派人打电话叫我马上来吗?"

奥尔迦说:"这样深更半夜,我叫你来做什么?除非我疯了!你不见我已经睡下了吗?女仆说有你的电话,才把我叫醒的。"

"那么,为什么你府上的弗朗索瓦打电话叫我,说你有为难的事,要我立刻来?"

"弗朗索瓦是谁呀?"奥尔迦简直给弄糊涂了。

"他说是你们府上的仆人。"

"我家里没有叫弗朗索瓦的仆人,是不是有人跟你开玩笑?"

"我想这不会是玩笑,恐怕是别有用心。"泰山凝思了一下说。

"那么是谁呢?难道是……"

泰山不待奥尔迦说完,赶忙插嘴问:"现在伯爵在哪里?"

伯爵夫人说:"在德国公使馆里。"

泰山一下明白了,说:"这一定是令兄的诡计,如果伯爵得到了消息,明天先盘问家里的仆人,知道我半夜里来过,可就犯了不清不白的嫌疑了。罗可夫的奸计可真够毒辣的。"

奥尔迦一听,才惊慌起来。她站起身,无目的地向四围张望着,露出了不知所措的样子,像一头柔弱的羔羊,前面有虎狼挡住了她的去路,吓得无计可施,又无力自保。她不由得抓住了泰山的手臂,以支撑自己的身体。她低声地、语无伦次地说:"到了这一步,我们该怎么办呢?这叫我怕极了!报纸上若把这件事公布出来,我可就完了!怎么办?怎么办?这次恐怕逃不出罗可夫的手心了……"这时泰山也很自然地靠近了奥尔迦,轻轻握住她一只手,安慰她说:"奥尔迦!不要怕!让我们共同来想办法!"奥尔迦似乎感到祸在眉睫,她立刻推开泰山,催他快走。而一向侠肝义胆的泰山,看奥尔迦这样六神无主、全身颤抖的样子,又实在不忍心离去。

再说兑·库特伯爵读了送进来的信之后,连个托词都来不及找,便匆促向主人告辞出来,一路上催着车夫加速前进。到了家门口,他一下跳下车,仆人已经开门恭候。伯爵用一只手横握着手杖,快步上楼,带着怒气,越过走廊,直奔夫人的内室。

这时房门大开，库特伯爵满面怒气地冲了进来。奥尔迦一抬头看见伯爵，惊叫了一声。泰山一转身，伯爵迎头一杖已经打了下来。泰山赶快用手挡住，才没有打着。接着，伯爵是没头没脑地一顿乱打，泰山虽然始终没还手，但也被打得恼怒起来，野性也发作了。他狂吼一声，直扑伯爵，夺过手杖，折作两段，抛在地上。

泰山的手直插向伯爵的喉咙，伯爵已无力抵抗，气都喘不过来了。奥尔迦在旁边慌作一团，看着伯爵被泰山掐住喉咙，性命危险，连忙跑上去，死命拖住泰山的手，喊道："不好了！你要把他掐死了！你快放手！"

泰山好像没听见她的声音，随手把半死的伯爵扔在地上，伯爵跌得仰面朝天。泰山又按照人猿的老习惯，一只脚踏在伯爵胸口上，仰天长啸了一声。这一声惨厉的长啸，把全楼上上下下的人都吓得面无人色、浑身发抖。没人敢过来救伯爵。奥尔迦跪在伯爵身边，只是哀求上帝保佑。

过了一阵，泰山神志稍清，恢复了人性，回头看看身旁跪着的奥尔迦，便轻声呼唤她："夫人！夫人！"奥尔迦起初还不敢抬头，慢慢抬起眼从侧面打量泰山，只见泰山方才狂怒的野态，已完全消失了，脸上有颓丧懊悔的神情。奥尔迦对他说："泰山先生！你竟下了这样的毒手，我们夫妻一向和好，现在他就要死在你手里了，这可如何是好？"

泰山俯下身来，抱起伯爵，把他放在一张床上，又伏在他胸口上静听，对奥尔迦说："快！拿白兰地来！"奥尔迦赶快拿了一杯酒来，泰山扳开伯爵的牙齿，灌了进去。过了一会儿，伯爵的嘴唇动了一下，喉间有了声音，微微有了呼吸，侧过头来咳了一声。泰山说:"好了,伯爵有救了,你放心吧!"

奥尔迦说:"为什么你使起性子来,几乎要了他的命呢?"

泰山说:"我也说不出所以然来,也许他把我打急了,打出了我的野性。我们猿类,每当这种时候,自然会发起野来。这话你听了自然莫名其妙,因为你不知道我过去的经历,如果我早一点告诉你,也许不会有今天的不幸。我从小失去父母,是一头人猿把我带大的。我到了十五岁,我才第一次见到人类;二十岁时才第一次见到白人。就是距现在一年多之前,我还赤身裸体,在非洲的林莽中,跟野兽没有什么两样。请你别过分责备我,我只有在这两年内,才涉足文明社会。无论如何,在蛮荒中所养成的野性,我还没办法完全泯灭。"

奥尔迦说:"我对你无可责备,一切都是我的不好。请你快些离开这里,别等伯爵醒来,见到你,再发生什么不愉快。再会!"

泰山没精打采,走出伯爵府,忽然想到了什么,就快步赶到离莫尔街相近的那个警察署,找到前几个星期结识的警察。谈了几句闲天后,泰山问他们:"你们可知道罗可夫和鲍勒维奇?"

警察们说:"自然知道啊!这两个家伙,从前都有案可查。到目前为止,他们还没落入法网,然而我们经常在暗中监视他们,注意他们的行动。我们对于惯犯都是这样的。先生问起他们,可有什么事情?"

泰山说:"我认识这两个人。现在我有点小事,要跟罗可夫交涉,如果你们能把他的地址告诉我,我感谢之至!"

泰山拿到了罗可夫的地址,就向警察道别,出门上了一辆汽车,风驰电掣地向罗可夫住处驶去。

罗可夫和鲍勒维奇喝足了酒回来,坐在自己的小安乐窝里,一边得意地畅谈这个计划大功告成,一边打电话给巴黎的几家大报馆的记者,说有巴黎上层社会最有趣的桃色新闻,请他们来当面细谈。才挂上电话,楼梯上就响起了脚步声,罗可夫说:"报馆的记者办事确实迅速。"接着有人敲房门,罗可夫说:"请进来!"房门开了,进来的却不是报馆的记者,罗可夫一看,脸顿时吓得变了色,站起来喊道:"好奇怪!你为什么来了?"

泰山满面怒容地命令:"坐下!"这两个恶棍听得口气严峻,只好乖乖坐下。泰山接着说:"你们真是费劲心机,我不得不上门来请教。我本来应该送你们下地狱,看在令妹面上,饶了你们的狗命。这次我格外施恩,但你们必须答应我两个条件,如果有半个不字,休想再出这个门。你们听好了:第一,把今晚的阴谋,仔仔细细写成认罪书,交给我;第二,不许把今晚的事告诉报馆。明白吗?赶快写!这里是纸笔。"

罗可夫起先还憋着股劲不答应,泰山掐住他的喉咙,让他尝了尝上"铁领"的滋味。鲍勒维奇见事不妙,想溜之大吉,被泰山抓住,摔到了墙边,昏过去了。罗可夫颈项套在"铁领"里,喘不过气,脸色也涨得青紫了,泰山才松手,把他推到椅子上。罗可夫望着泰山,喘着粗气一动不动。鲍勒维奇悠悠醒来,泰山命令他坐着,不许动弹。泰山又对罗可夫说:"赶快动笔!不然,我就要取你狗命了!"

诡计多端的罗可夫,此时也无计可施了,只好伏案而书。这时又有人敲门了。泰山说:"请进来!"

一个活泼的少年,一进门就说:"我是晨报馆派来的,罗可夫先生说有新闻要面谈。"

　　泰山说:"对不住,罗可夫先生并没有什么新闻资料。"泰山回头又对罗可夫说:"你不过跟记者先生开了个玩笑,算什么新闻呢!"

　　罗可夫抬起头,很不情愿地说:"确实没有新闻,现在是没有。"

　　泰山立刻补上一句说:"将来也是没有的,对吧?"

　　罗可夫像应声虫似的说:"将来也是没有的。"

　　泰山送记者出去,向他道歉说:"我这位朋友冒失,有劳先生白来一趟,真对不住!再会!"

　　大约一小时后,泰山衣袋里放着那份认罪书,离开了罗可夫的住地。临走时泰山说:"我警告你们,最好马上远远离开法国,否则,只要有机会,我总要收拾你们!"

六
一场决斗

泰山从罗可夫那里出来,回到得·阿诺家里。得·阿诺早已熟睡了,泰山没有惊动他。第二天早晨泰山才把昨晚中计的经过,一五一十地告诉了得·阿诺。最后,泰山自责地说:"我一时兴起,按捺不住,几乎把伯爵害死,如果真成了这个结局,只会让恶人称心如意。"

得·阿诺说:"你和伯爵夫人,也确实太亲密了些,叫别人看起来难免疑心。我认真问你,你究竟爱不爱奥尔迦?"

泰山说:"我和她偶然相遇,只是意气相投,我几次救过她,至今也只能说是个知己的朋友,绝对没有涉及爱情。昨晚的事,也主要由于奥尔迦知道中了计,十分害怕,求我保护,我看她那震颤的样子,自然不忍马上离去,想安慰她,因而多逗留了一会儿。也要怪我自己阅历不够,没有多想自己已身入罗网之中,伯爵回来会产生什么后果。以后我不想住在巴黎了,如果再逗留在这里,也许还会遇到上当的事。我真过不惯这种勾心斗角的生活,不如回到我的故乡——非洲丛林里去,像从前一样,海阔天空,自由自在。那里虽然也有危险,但绝没有计谋诡诈,要比这文明社会快乐得多。"

得·阿诺说:"这件事,你倒不必负疚于心,伯爵固然会疑心你欺侮了朋友,可是你扪心自问,却是问心无愧的。只是中了别人的圈套,日后自然会水落石出,现在何必闷闷不乐呢?况且,你也很难离开巴黎,库特伯爵一定把此事看成奇耻大辱,我估计在这几天之内,他会跟你交涉的。"

得·阿诺果然猜得不错,一星期之后的一天,大约十一点,得·阿诺和泰山正在进早餐,伯爵一位朋友弗洛贝尔先生前来造访,把约期决斗的信件交给了泰山。他彬彬有礼,而且恭恭敬敬地说:"伯爵委托在下来征求尊意,请早日决定,委托一位贵友和鄙人磋商办法。"

泰山立刻决定请得·阿诺做他的代表,决定下午到弗洛贝尔家中商议办法,弗洛贝尔就告辞回去了。

泰山说:"文明社会里的决斗,现在我倒有机会领教一番了!"

得·阿诺说:"决斗时你想选择哪一种武器?兑·库特伯爵是有名的剑术家,枪法也可以说是没有对手的。"

泰山笑着说:"要问我擅长什么,那自然是毒箭和长矛最拿手,可是你们文明社会不用这些武器,我看就选手枪吧!"

得·阿诺着急地说:"这样你注定要失败的!"

"我也知道用手枪敌不过他,但是,人生谁没有一死呢?又何必害怕?"

得·阿诺仍不甘心地劝泰山:"我认为还是用剑好,库特只要把你刺伤,就算胜利了。剑伤的危险性要比手枪小得多。"

泰山却毅然决然地说:"用枪。"

得·阿诺费了许多口舌,想让泰山改用剑,无奈泰山不听,于是决定用枪了。

得·阿诺和弗洛贝尔商谈出结果之后,回来告诉泰山说:"一切都洽谈妥当了,决斗时间就定在明天早上,地点则在巴黎近郊埃唐普的一条僻静路上,那里绝少行人,免得被人注目。"泰山听了,只说很好,从容自若,好像没有什么心事一样。到了晚上,他写了几封信,一起装在一个大信封里,预备给得·阿诺收启。写完信,泰山唱着歌就上床睡觉了,似乎完全不记得第二天还有个决斗的约定。得·阿诺在另一间屋里暗暗替泰山担心,因为他想到了明天,当决斗场上太阳升起的时候,一定会照着泰山的尸身。两人患难相交,朋友的生命就要这样结束,怎能使得·阿诺不伤心呢?然而泰山的样子,似乎毫不介意,才越发让得·阿诺难过。

第二天早晨,得·阿诺穿着完毕,站在泰山卧室门外,催泰山快起床。泰山说:"大清早起来,去参加互相残杀的把戏,真是不值得。如果不是闹钟不停地响,把我吵醒,我真想多睡一会儿呢!"

得·阿诺昨夜辗转反侧,通宵不能寐,今天身心都不舒服,听了泰山的话,带着怒气说:"大概你甜甜地睡了一夜,醒都没醒过吧?"

泰山笑着说:"岂敢!我确实睡得很甜美,你会为此而不服气吗?"

得·阿诺说:"哪里的话!我只是看你的样子,把决斗视同儿戏,好像出去打猎一样。你一点儿也没想到和法国的名枪手较量的后果,我怎么能不又生气又担心呢?"

泰山说:"我知道兑·库特伯爵觉得那晚受辱,约我决斗以泄愤,我也自悔那晚不该一时性起,差点伤了伯爵的性命,至今心里觉得非常内疚，我决没有对他怀恨之理。今天的决斗，不过是忏悔我的过失，如果他射中我，也可以说是我咎由自取，又何必担忧呢？"

得·阿诺急得跳起来说："这样说来，难道你希望死于他的枪下不成？"

泰山说："不管我主观上怎样想，据你告诉我的，兑·库特是法国数一数二的神枪手，既然如此，我除了死于他的枪下之外，还何须再费心去想别的呢？"其实得·阿诺并没有完全猜到泰山的内心，原来兑·库特伯爵约他决斗，他早已打好了主意，如果让得·阿诺知道了泰山此时胸有成竹的内心，这位心地厚道的老朋友，也许会急个半死呢！

两个人都不再说话，并排坐在汽车里，在晨光中直驶埃唐普。一路上，各人想着各人的心事。得·阿诺想着泰山此去，绝无幸免的可能，回忆昔日泰山对自己的许多好处，不禁悲从中来。然而要救泰山的性命，除非取消这次决斗，事实上这又是绝不可能的，找什么借口呢？眼看着对自己恩重如山的老朋友，离坟墓一步比一步近了，真比自己赴刑场还要难过呢！

泰山坐在车里，也是心潮澎湃，万千往事，一齐涌上心来。他先是回忆幼年时代，在丛林中许许多多的经历和见闻，似乎都历历如昨。记得他在海滩边父亲的小屋中，孜孜研究书本上的文字，当时是多么兴趣盎然。与琴恩相遇之后的一幕幕，他回忆起来更是津津有味，引起了思绪万千。泰山正沉湎于回忆之中，汽车忽地一下停住了，他好像从旧梦中惊醒，抬头一看，已到了决斗的场所。他明明知道有死去的可能，却态度安详，没有一点儿恐惧。他这种心理状态是在丛林中养成的,丛林中的野兽,每每在生死关头,只考虑如何在万险中逃命,却决不想临死前的痛苦。泰山在丛林中也曾无数次遇到危险,所以他并不害怕。

得·阿诺与泰山先到,不一会儿,兑·库特和弗洛贝尔与一位医生也到场了。先是得·阿诺和弗洛贝尔商谈了一会儿,各人又把彼此的手枪察看了一遍。接着弗洛贝尔宣布决斗规则,兑·库特和泰山远远地站着静听。规则是这样的:

每人的手枪中装三颗子弹,各自拿着,相背而立,双手下垂不动。等弗洛贝尔发出口令,各人向前走十步,站在那里。待得·阿诺发出口令,两人同时转过身来,举枪对射,直到双方有人被射倒,或者三颗子弹打完为止。

泰山一面听着,一面掏出纸烟,擦火点燃吸着。兑·库特伯爵也很沉着,他知道自己是高手,一定可以打中泰山。这时弗洛贝尔把规则宣布完毕,和得·阿诺引着伯爵和泰山,走到场中,相背而立。弗洛贝尔问:"两位都准备好了没有?"伯爵回答说:"好了。"泰山也点了点头。

于是弗洛贝尔一声口令"向前走!"两个人都缓步向前,弗洛贝尔和得·阿诺都退出火线,站在远处数着……六步、七步、八步,得·阿诺眼泪夺眶而出,九步了,得·阿诺急得手足无措,再走一步,就该他发出对射的口令了,也许就是宣告泰山死亡的口令!说时迟,那时快,已迈完了十步,双方都停住了,得·阿诺不能再迟延,只能硬着心肠喊了一声:"射击!"

兑·库特立刻转过身,向泰山瞄准一枪,泰山稍闪了一下身,好像打了一个寒颤,但双手仍下垂着,并不举枪。伯爵相信自己打着对方了,然而看泰山既不倒下去,也不举枪,只是站着不动,他等了一等,似乎有些诧异。接着对准泰山又放了一枪,泰山仍旧站在那里,嘴里还一口口地喷着烟,好像没有知觉一样。库特伯爵这下子非常惊奇:泰山明明中了两枪,怎么能不倒下呢?继而一想,忽然醒悟并害怕起来:泰山一定是等他放完三枪,只要不中要害,便可以专心致志,瞄准库特的要害,回敬他三枪,取他性命了。库特这样一想,不禁害怕起来,自己只剩一发子弹了,这一枪可是生死攸关了。面前这个铁汉,已经身中两弹,还在等候第三弹,真是从来没有见过,自己的最后一枪,无论如何要打中要害!谁知手枪射击,越是心慌,手腕越是颤抖。"砰"的一声,子弹不知飞到哪儿去了。泰山和库特四目相视,却仍旧不举起枪来。泰山似乎露出了失望的神色,伯爵却面色灰白,只等着被打死的命运。他觉得这等死的时间很难耐,急得高叫起来:"快放枪呀!还等什么!"

泰山仍旧不举枪,只拔腿奔向伯爵,得·阿诺是知道泰山的力气与野性的,与弗洛贝尔急忙上前阻止。泰山摇摇手说:"别怕,我不是去伤害他!"

弗洛贝尔虽然不明白泰山的用意,但知道不会有危险,也就不去干涉。泰山走到伯爵面前,说:"阁下的手枪,恐怕有些故障,所以没有打准。请用我的手枪再试试吧!"

泰山用左手倒拿着枪,枪柄向前,送给伯爵。这一来,倒把伯爵弄得没了主意,他说:"你是发疯了吗?"

泰山说:"哪里的话?我只是因为太鲁莽,差点伤了先生性命,自知有罪,情愿死在先生枪下。这样,先生也可以相信尊夫人的冰清玉洁,免得因为我失于检点,破坏了先生的美满家庭,请你接受我这支枪,照我的话做吧!"

伯爵说:"哪有这个道理呢?照你说的做,我便犯了杀人罪。而且这样杀死你,我也不光彩。你说自知有罪,到底有什么罪呢?那天晚上,你到底为什么到我家去?"

泰山说:"那晚先生所见,完全是误会。这一点,等一下我会向先生解释。我说的有罪,是说我不该一时性起,几乎伤了先生性命。我与先生素无冤仇,那天却下了毒手,所以今天若死于先生枪下,我自己认为是罪有应得……"

伯爵却急于明白另一件事,性急地问:"你说自己失于检点,又说那晚全是误会,那么,深更半夜你到我妻子卧房,到底去做什么?"

"这是别人的阴谋,尊夫人确实是一位贤德的妻子,她也确实是真心爱你的。只是我们都中了仇人的毒计,才发生了那晚的不幸。你若不信,我有一份材料可以作证。"泰山说着,从衣袋里掏出罗可夫亲笔签名的认罪书来。

兑·库特接过来,迅速地读着。得·阿诺和弗洛贝尔也走过来,大家都不做声,都想看看这场决斗会有怎样的结局。伯爵看完了罗可夫的认罪书,两眼直愣愣地看着泰山,说:"你真是一位仗义的英雄,我真该谢谢上帝,幸而没有打死你!"

兑·库特伯爵是个很容易激动、容易动感情的法国人。他立刻张开了双臂,紧紧拥抱住泰山。得·阿诺和弗洛贝尔看到这个情景,也因意外的快乐而拥抱起来。只有那位医生,出于职责,要求泰山解开衣服,要为他检查枪伤。他说:"虽然三枪没有全打中,但至少有一粒子弹射进了身上。"

泰山好像不介意地说:"中了两弹,一弹中了左肩,一弹中了右腰,大概只伤了皮肉,不太要紧的。"

医生逼着泰山躺到救护床上,替他取出了子弹,止住了血,把伤口洗涤干净,包扎妥当。大家坐了得·阿诺的车子,仍从原路回到巴黎市里。伯爵心里的气愤,早已烟消云散,他对泰山反而产生了一种感激和敬意、热爱和钦佩的感情。

医生和得·阿诺逼着泰山在床上睡了几天,泰山却认为这种休养是不必要的。但碍于医生和得·阿诺的热情,他只好从命。

泰山对得·阿诺说:"这真是滑稽!我睡在床上,如坐针毡,连骨头都睡痛了。记得我儿童时代,在丛林中生活。有一次我去打猎,不幸被大猩猩抓住了,身上被撕破了好几处,那时我为什么没睡在床上呢?尽管皮破血流,但我的伤口也没有腐烂。只是卡拉很谨慎、很辛苦地看护着我。卡拉真够慈爱,谁说野兽没有感情呢?当然,丛林中没有消毒纱布、棉花等药品,更没有给人诊病的医生,然而我不是也恢复了健康吗?"

隔了几天,泰山的伤已经痊愈了。在他休养期间,伯爵也常来看望他,从谈话中,他知道泰山有志自立,就答应尽力为他谋求一个职位。

当泰山伤势痊愈,已经开始能到外面走动的时候,接到了伯爵邀他去洽谈工作的信。那天下午,泰山就到伯爵的办公室去了。伯爵见泰山光临,非常高兴,特别表示了欢迎。伯爵含笑对泰山说:"泰山先生!我已找到一桩最适合先生的事,这是一个受到很大信任和负有重要责任的职务,这工作是有冒险性的,需要很强的责任心和正义感,也需要机敏、果断和强健的体魄。不消说,这些条件都是先生具备的。这个工作需要先生先去旅行一趟,以后会很有前途的,将来要到外交界服务,也许会成为该地区的大使或领事。不过,开始当然不会太久,先生要以陆军特派员的身份前往。我会领先生去见你的上司罗切尔将军,他会更详尽地说明你的责任和义务,至于先生愿意担任与否,由先生自己决定。"

兑·库特伯爵领泰山去会见了陆军部的罗切尔将军。伯爵向罗切尔将军介绍了泰山之后,还把泰山过去的不凡经历讲了一遍,以证明他是很能胜任这个工作的。罗切尔将军听了十分满意,请泰山坐下,谈了一会儿。

半小时后,泰山离开将军的办公室,已经成为政界中的人物了。这是他在文明社会中第一次正式任职。罗切尔将军嘱咐他第二天再来候命,也可能叫他连夜启程出国,并且短期内未必能回巴黎,泰山也答应了。

泰山兴高采烈,回去告诉得·阿诺,他很早就想自立,这次竟然达到目的了。这样,他一来不再依靠别人,二来可以趁此出外游历,增长见识,泰山真是欢喜万分。他对得·阿诺谈此事时,竟谈得神采飞扬。

得·阿诺却不像他那样高兴,他微笑着说:"你要离开巴黎了,却这样高兴,我们老朋友相处日久,现在要久别,你却这样快乐,一点儿也不感到离别的惋惜吗?"

泰山说:"你不理解我的心情,我好像得到了新玩具的小孩子,再也不想别的了,因此,和老朋友的离情,也被我置于脑后了。"

几天以后,泰山便欣然启程离开巴黎,经马赛,到非洲北部阿尔及利亚的海港城市瓦赫兰去了。

七
西迪艾萨的舞女

泰山的第一个使命,并不是一项公开的、堂堂正正的工作。原来在非洲西迪贝勒阿巴斯城里,有一位统领阿拉伯士兵的热诺瓦上尉名声很不好。他最近被调到司令部参谋机关工作了一段时间,知道了一些重要的军事机密。法国政府获悉,最近某强国正在出很大的价钱收买这方面的情报。有人写了匿名报告,说热诺瓦有私通外国的嫌疑。这告发也有可能出于嫉妒中伤,然而,政府方面是最怕军队中暗藏间谍的,于是就派泰山去侦查热诺瓦的行动。

泰山表面上怕引起别人的注意,就装作游历打猎的美国人,决不露出一点儿政府特派员的迹象,也不显露出到阿尔及利亚是去跟踪热诺瓦的。

泰山从前住在非洲南部,以为北部和南部是一样的,谁知一到那里便觉大失所望,那里竟和他热带的故乡完全两样,反倒使他觉得,相比之下还是巴黎可爱些。他在瓦赫兰停留了一天,在曲折的阿拉伯街道上转来转去,倒领略了不少异乡风光,熟悉了一下当地习俗。第二天到了西迪贝勒阿巴斯,他带着介绍信去拜访当地的军政长官,这是游历家很平常的应酬,所以不会引起任何人的疑心。泰山也因此认识了许多法国军官,在交际场中成了比较受欢迎的人物。泰山的英语和法语都说得不错,在阿拉伯人和法国人面前,他可以冒充美国人;遇见英国人,他就说法语,一点儿也不会露出破绽来。

热诺瓦上尉年近四十,沉默寡言,面容憔悴,不常在交际场中活动。泰山住了一个月,没有发现什么不正常的迹象。热诺瓦平时不大到城里来,与他交往会面的人也不像间谍,泰山觉得他安分守己,认为控告他私通外国的人,也许是公报私怨。

正在这时,热诺瓦忽然接到命令,要他和另外两个军官及一队北非骑兵一同调防到南方去。很幸运,泰山和这两位军官中的一位名叫热拉尔的上尉很熟识,很想随军到那里去打猎。热拉尔也极力怂恿泰山同去,有了这个理由,热诺瓦也就无从疑心泰山有意跟踪了。

从西迪贝勒阿巴斯乘火车到布维拉,余下的旅程就必须骑马前进了。泰山正在寻觅、购买马匹,在那里讲价,忽然看见一个身穿欧洲服装的人,正从一家咖啡店门口张望着自己。泰山没来得及细看,那人已经躲进低矮的土屋中去了。泰山只觉得那人的样子似曾相识,由于自己近来认识的生人很多,也就没有放在心上。

在往欧马勒的行军中,泰山觉得很疲乏。因为他在巴黎学院只学过有限的骑术课程,所以,这天他急需找个旅馆休息。他累得一进屋就倒在床上睡着了。

虽然第二天很早泰山就被人叫起来了,但北非骑兵队伍却在他吃完早餐以前就已经出发了。所以,他匆匆吃完饭,就急着去追赶队伍。可是当他将要离开餐厅,无意间向连接餐厅和酒吧的门扫了一眼时,他竟有点儿吃惊地看到了热诺瓦正在做着手势和另外一个人讲话。和热诺瓦对话的人背对着泰山,看不见他的面貌,但从背影看,正是在咖啡馆门口盯着自己的人。泰山有点儿奇怪,正想悄悄地注意他们,热诺瓦抬起头来,正好看见了泰山,就止住了那个人不再讲话,挽着他的手臂走开了。至此,泰山才开始觉得热诺瓦确有可疑之处了。

午后,泰山赶上了军队,到了西迪艾萨休息。热诺瓦上尉已经在那里了,但不见了那位欧洲服饰的怪客。那天正是西迪艾萨的集日,街市上骆驼成群,十分拥挤。泰山想多留一天,看看沙漠地区人民的特异风俗,所以热诺瓦下午带部队向布萨达前进,泰山就留在了西迪艾萨。旅店老板给泰山介绍了一个当地的年轻人,为他做向导和翻译。这位阿拉伯青年叫阿布杜尔,人很诚恳、可靠,泰山就在他的陪同下,在市场上游逛。

泰山在市场上看到了一匹准备出售的马,非常雄健,比他在布维拉挑选的那匹好得多。于是由阿布杜尔传话,跟马主人商量。那马主人叫卡杜尔·本·萨丹,是沙漠南部杰勒法省一个部族的酋长。萨丹的性情很豪爽,三言两语,交易就成功了。泰山邀萨丹到旅馆共进晚餐。那时市场还没全散,走路很不容易。泰山等三人在驴马骆驼群中,挨挨挤挤,寻路走着。突然,阿布杜尔拉住泰山的衣袖说:"看哪!那个人形迹很可疑,他紧紧跟着我们已经一个下午了,没有放松过一步。"泰山回头一看,那个人已躲到一头骆驼后面去了。泰山说:"我也好像看见一个披着深青色披风、裹着白布头帕的阿拉伯人,你指的就是他吗?"

阿布杜尔说:"是的,看他模样不是本地人,而且不像有正当职业的,还老把半个面孔遮住,只露出两只贼溜溜的眼睛,规矩的阿拉伯人都不会这样干的。我真怀疑他是个坏人,不然,为什么这样贼头贼脑呢?"

泰山说:"他也许是认错了人,我初次到这里,没什么人认识我,我也不认识别人,也许过一会儿,等他看清楚了,自然就不再跟着了。"

阿布杜尔说:"说不定他是个抢劫财物的强盗。"

泰山扑嗤地一笑:"如果真这样,我们见机行事,看他怎么动手。"

泰山并没把这事放在心上,可是到了晚上,他才知道阿布杜尔确实有先见之明了。

酋长萨丹和泰山一起吃了晚饭。他和泰山虽是初次见面,却一见如故,谈得非常投机。萨丹临别时,还约泰山到他的部落去打猎,那里有羚羊、牡鹿、野猪、豹和狮子,可以说是个大围场呢。

萨丹酋长走后,泰山和阿布杜尔到西迪艾萨街上去散步。走到一家咖啡馆门口,他们听见里面热闹非凡。泰山和阿布杜尔走进去,看见里面坐满了阿拉伯人,喝着浓烈的咖啡,抽着卷烟,还有跳舞的姑娘在那里表演。当时已经有八点多钟了,泰山和阿布杜尔在屋里想找一个座位。泰山很厌恶那鼓声,想坐得远些,可惜远处没有空座,只得在离跳舞者很近的地方找个空座坐下。

那个跳舞的摩尔姑娘长得很漂亮,看见泰山一身欧洲装束,知道是个肯花钱的外国游客,就把手中舞着的丝巾甩到泰山的肩头,泰山赏了她一个法郎。她下去之后,又上来了第二个跳舞的姑娘，阿布杜尔眼尖，看到了第一个姑娘走到通内院的门口时，有两个阿拉伯人拦住了她，和她说话。内院周围的楼房原是跳舞姑娘们住的，中间是一个大天井。阿布杜尔看见他们谈了很久，还向这边努了努嘴，像在给那个阿拉伯人什么暗号，那姑娘还慌张地向泰山这个方向看了一眼，那两个阿拉伯人也转身跟了进去。

过了一会儿，第一个姑娘又上场了，她绕着泰山跳舞，一味引逗他，惹得那些阿拉伯青年都吃起无名醋来，向泰山怒目而视。泰山却一本正经地坐着，表示对此不感兴趣。那姑娘又把丝巾甩到泰山肩头，得了一法郎的赏金。她照着领赏的规矩，把法郎拾起贴在额上，俯身靠近泰山致谢。那姑娘借此机会，用半通不通的法语低声说："内院有两个人想害先生，吩咐我用色相来引诱。我看先生是个好人，不愿先生受害，请先生快走吧！这两个人不是什么正经人，先生犯不着吃眼前亏。"

泰山向她道了谢，说自己会小心的。那姑娘跳完舞，就从小门走进内院去了。泰山并没有起身，似乎对她的忠告无动于衷。

当时还没有什么动静，约过了半小时，忽然从街上跑进来一个凶狠的阿拉伯人，站在泰山身旁，指着泰山大骂。泰山自然听不懂他的阿拉伯话，阿布杜尔就翻译给泰山听，然后他对泰山说："这家伙是来寻衅的，也许还不止他一个人，万一动起手来，你会成为众矢之的的。先生最好还是走开。"

泰山问："那人到底为什么向我寻衅？"

阿布杜尔说："他说你是外国鬼子，侮辱了他们的跳舞姑娘。这是无事生非地向你挑衅啊！"

泰山说："你去对他说，我没有侮辱什么跳舞姑娘，他如果识相，赶快走开，别来滋事。我和他素不相识，他不必无故来惹事。"

阿布杜尔依言翻译给那阿拉伯人听，那人却大声地回答了几句。阿布杜尔告诉泰山说："他非但骂你，还侮辱你的先人，说你一味说鬼话。"

这时已经惊动了满屋的人，阿拉伯人看着泰山狞笑，似乎都同情那个骂人的人。有些人甚至已经摩拳擦掌，准备把泰山暴打一顿了。

泰山无端受这一顿欺辱，心里愤怒至极。可是他不动声色，含笑站起来，向那挑衅的阿拉伯人劈面一掌，打得他四脚朝天。这时，从门外奔进六七个大汉，直扑泰山，他们都是原先埋伏好的打手。他们嘴里喊着："别放走这鬼子，打死他！"

泰山和阿布杜尔见大汉们来势汹汹，就向后退去，渐渐靠近了墙壁。阿布杜尔拔出刀来，保护泰山。泰山含着笑不做一声，不断挥拳击倒扑过来的敌人。满屋的阿拉伯人都拔刀舞棍，直奔泰山。泰山虽厉害，但终因寡不敌众，也有点招架不住了。幸亏人多屋子小，手里有兵器的人，也怕伤了同伴而施展不开；有的人虽有手枪也不敢放。泰山急中生智，抓住前面一个魁梧的阿拉伯人，夺下他手中的兵器，举起他的身体当做盾牌，挡住对方的兵器，慢慢地和阿布杜尔冲出重围，向通往内院的小门退去。

泰山走到门口站住，把手里的俘虏像扔一打重东西一样平抛出去，向追兵当头压下。泰山转过身来，跳到黑暗的天井中去。这时，那些跳舞的姑娘都吓得伏在楼梯顶上，后面墙上的几枝残烛被风吹得摇摇曳曳、半明不灭。泰山和阿布杜尔才到天井里，背后楼梯影里,飞来一颗子弹,从他们身边擦过。泰山转身一看,有两个遮着半张脸的人,在那里放枪。泰山直扑上去,握住前边一个人的手腕,轻轻一拧,就扭断了他的腕骨,手枪也掉到了地上。泰山把那人摔到地上,那人连声喊痛。阿布杜尔用短刀把第二个人刺伤了。屋里众人一窝蜂地奔向外面,那时院中的残烛已灭,只有从屋里射出来的一线灯光。泰山从躺在地上的人手里夺过兵器,准备在暗中厮杀,忽然有个人从后面轻轻拍了一下泰山的肩膀,只听到一个女人低声说:"快跟我走!别多费时间了!"

泰山也低声叫阿布杜尔一同走,他想困守在这里是个绝境,不如找别的地方,设法脱身。那女子引着他们上了楼,到了上面泰山才看清,这女子就是那第一个跳舞的姑娘,也就是受他赏金给他忠告的女子。

这时楼下人声鼎沸,都在大叫:"捉住他!捉住他!"那姑娘低声对泰山说:"他们快搜到这里来了,你快走吧!他们人多势众,你要吃亏,快跟我来!从我房后的窗口跳到街上就可以脱身了。他们找不到你也无可奈何。"那姑娘话还没说完,已有好几个人追上楼来,有一个人喊道:"在这儿哪!快来!"后面的人都跟着拥上来,泰山拦在楼梯口,把第一个人用力一推,那人立脚不稳,全身重量向后跌去,后面的人也都站不住脚,一个个向后仰去,弄得一楼梯的人跌得落花流水。那楼梯本来不坚固,加上梯小人多,又受到重跌的震动,突然断裂,压倒了楼下许多阿拉伯人。

泰山在楼上看着不禁好笑,他身后的跳舞姑娘着急地说:"快走!他们会从别的楼梯上来,现在不走还等什么?"

他们才跨进房门,阿布杜尔听见天井里有人喊:"快去把住后面,别让鬼子从后窗跳到街上溜走!"阿布杜尔翻译给泰山听了。

那跳舞的姑娘接着说:"坏了!我们都没命了!"

泰山说:"怎么?我们?他们是冲我来的呀!"

跳舞姑娘说:"他们不是明明知道是我放你逃走的吗?"

泰山听了这话,才突然明白过来,他的原意是和阿拉伯人打闹一阵,却没想到会连累姑娘和阿布杜尔。如果只是他一个人,可以在阿拉伯人中打出一条血路,用他搏狮的神力,略施几下拳脚,不愁不能把阿拉伯人打个落花流水,到时候他们就只好看着他扬长而去。可是现在,跳舞姑娘和阿布杜尔的性命也在自己身上了,他无论如何不能扔下他们不管。

泰山走近靠街的窗口,向下一望,下面还不见人,不过人声已经逼近了。隔壁楼梯上,已能听到杂沓的脚步声,人们已经冲上来了,用不了多久,就会攻进房门了。泰山把上身探出窗口,向上望去,原来这房子屋檐很低,站在窗台上,用手就可以攀到。于是他叫跳舞姑娘到窗口来,自己踏在窗台上,一手托起了她,搭上肩头,回头对阿布杜尔说:"你别慌!就站在窗口别动,我从屋顶接你上去。现在你用东西堵死门,让他们一时冲不进来。"

泰山踏上窗台,叫那跳舞姑娘用力抓住自己的肩膀。他身子一耸,已上了屋顶,毫不费力地把姑娘放在屋顶上,然后又探身到屋檐口,低声招呼阿布杜尔。泰山抓住了他的手,轻轻一提,阿布杜尔也上了屋顶。这时那些阿拉伯人已像潮水般拥到门口了。那扇门板没过多久就被他们砸得粉碎。他们七手八脚弄开了堵塞物,冲进房里去。他们看屋内无人,便忙跑到窗口,看这三个人是不是在街上。

八
荒漠之战

泰山等三人趴在屋顶上,听着下面屋里人声嘈杂。阿布杜尔翻译给泰山听:"他们在那里互相埋怨,说街上的人没看守好,让我们逃跑了。守在街上的人又说,没看见我们的踪影,一定还在屋里。在屋里吵吵闹闹的人,听起来似乎有点害怕了,不敢再找我们。看他们两边埋怨的样子,也许不久他们自己就会闹起来的。"

闹了一阵,房里的人渐渐走完了,街上的人也在慢慢散去,只剩下几个人在那里抽烟、谈话。泰山便对那跳舞姑娘道谢,说她为了拯救一个素不相识的人几乎牺牲了自己的性命,真是令人感激不尽。姑娘回答说:"我很敬重先生,因为你和那些来寻乐的人不同,不把我当奴隶看,就是给我赏金的时候,也没有那种难于忍受的高傲派头。"

泰山问她:"那么,你以后怎么办呢?咖啡馆里你是不能回去了,就是留在西迪艾萨城里,也恐怕不安全呢!"

那姑娘说:"也许到了明天,他们对这事就淡忘了。不过,我不愿意再回咖啡店去,因为我始终希望有一天能脱离火炕。我本不愿在这里以跳舞为业,只恨我自己不是自由之身呢!"

泰山听了,不禁诧异地问:"你怎么会不是自由之身呢?"

"我们跳舞的姑娘都是奴隶,在两年前的一个夜里,我被一群人贩子从我父亲的帐篷里拐了出来,卖到这里的咖啡店来了。我日夜盼望着父母能来救我,但他们在南方,路途遥远,交通又不方便,他们是不会到这里来的。"

泰山问她:"你现在很想回到自己人那里去吗?如果你愿意,我可以带你到布萨阿达去,再设法托那里的长官送你回故乡。"

那姑娘垂泪说:"啊!先生!你真能这样的话,叫我粉身碎骨也难以报答。你不会是和我说笑话吧?因为我觉得,像我这样一个被卖的舞女,谁肯来顾怜我呢?但是,先生如果能送我回去,我父亲一定会重谢你,他是一位酋长,名字叫卡杜尔·本·萨丹。"

"萨丹酋长?"泰山听了这名字,突然吃了一惊,高声说,"他现在就在西迪艾萨城里,几个小时以前,我还和他一起吃了晚饭呢!"

那跳舞姑娘也喜出望外地惊叫起来说:"我父亲在西迪艾萨吗?啊!谢谢真主!我可以脱离火炕,重见天日了。"

"哎!你们听!"阿布杜尔突然制止了他们的谈话。

当时夜深人静,街上有人说话,仔细一听,字字都能听得清楚。泰山听不懂他们的阿拉伯语,由阿布杜尔和那姑娘翻译给泰山听。

那姑娘说:"有人要暗杀你,那个人的手腕已经受了伤,他现在住在阿克木·丁·苏尔夫家里。他还出了巨款派人当刺客,埋伏在通过布萨阿达的路上,准备刺杀你!"

阿布杜尔说:"白天在街上老跟踪我们的一定是这个家伙,

后来他又在咖啡店里和同伙交头接耳,鬼鬼祟祟拦住这位姑娘说话,后来都走到内院去了。我们逃到内院时,曾经飞来一颗子弹,我想这一连串的事,大概都是那个人干的。为什么他一定要谋害先生呢?"

"我也不知道。"泰山嘴里这样说,心里却在暗暗盘算,自己的仇人,除了罗可夫和鲍勒维奇这两个恶棍之外,再没有别人了。但他半信半疑地想道:"难道真是这样冤家路窄吗?我看也未必吧?"

街上的人都散去了,咖啡店里也没有声音了。泰山轻轻地爬下来,从窗口进到姑娘房里,果然没有人了。他又回到屋顶,帮阿布杜尔下来,叫他在下面张臂接着姑娘。然后,阿布杜尔从窗口跳到街上,泰山抱起那姑娘,转身轻轻向街心一跳。那姑娘吓坏了,几乎喊出声来,但泰山却身轻如燕,挟着她安全地落到了地上。

姑娘紧靠着泰山说:"先生的神力真是少见,和我们那里的黑狮爱拉瑞亚简直是一样的。"

泰山说:"我久闻黑狮的大名,可惜没有机会和它会会。"

那姑娘说:"先生到我父亲部落去,就可以看见黑狮了。它住在我们的北山里,常到我们部落里来惊扰居民。不论什么动物,只要碰到它便休想活命。"

他们一面谈话,一面走着,不一会儿已走到泰山的旅馆了。泰山立即派旅馆的主人去寻找萨丹酋长,他怕萨丹第二天一清早就动身,所以拿出一个法郎,嘱咐旅店主人不可耽搁,马上找个能干的茶役到各旅店去寻找。有了赏钱,果然有效,不出半小时,旅店主人就领着萨丹酋长来了。那老酋长一见泰山,十分惊奇地问:"先生叫我来,可有什么吩咐?"

话还没说完,他便一眼看见了那姑娘,立刻张开双臂,迎上前去,大声叫道:"我的女儿啊!真主是仁慈的!"父女重逢,悲喜交集,老酋长老泪纵横,那姑娘也泣不成声。

那姑娘平静一下之后,就把被拐卖到这里以后的种种情形讲给父亲听。萨丹伸出手来,紧握着泰山的手说:"你真是我们的恩人,今后我萨丹的一切所有,都属于你了!我简直没法报答你的恩德。"

于是他们商量第二天就赶到布萨阿达去,大约一天的行程就可以到达那里。阿布杜尔也愿意跟去。这样骑马走长途,在他们倒不成问题,可是怕那姑娘坚持不了。那姑娘表示:自己离别故乡已有两年,现在急于回去和亲友团聚,无论怎样辛劳,也一定和他们同行。

大家只休息了一会儿,东方已经发白了。于是,他们急忙整理行李,一行人向南直奔布萨阿达而去。开始是一段平坦的大路,再往前走,就是苍茫无垠的沙漠了。马走在沙漠上,蹄子陷进几寸深,只能慢慢前进。这一行人中,除泰山、阿布杜尔、酋长和他女儿外,还有四个萨丹酋长的随员。他们有七支来复枪,白天不怕有人在路上暗算,预计在日落之前就可以到布萨阿达安然过夜了。

在沙漠中走了没有多远,忽然刮起了狂风,飞沙走石疯狂地在天地间翻滚,空气也干燥异常。泰山眼睛被迷了,嘴唇也干裂了,觉得很不舒服。四望周围,尽是沙漠,偶尔有小沙丘起伏,阿特拉斯撒哈拉山的山影隐约在极远的南方。有几处地方，偶尔发现荆棘草丛，但在灰沙之中也黯然无生气。泰山看着这情景，深切感到沙漠非洲与他幼年生长的丛林非洲是多么不同。阿布杜尔一路上总记着昨晚听到有埋伏的话，所以他一直小心防范。每到一个小沙丘顶上，他总要拉紧缰绳，极目四望，不放过每一个可疑的迹象。最后一次他果然发现了，喊道："看哪！有六个人骑着马，在后面紧紧地追着我们。"

萨丹酋长用舌头润湿了一下嘴唇，说："这一定是昨晚那几个家伙。"

泰山说："一定是的，可他们是追我来的，我很抱歉，为了我的事连累了你们。现在我要到前边一个村落去和他们交涉，对付他们。请你们仍旧放心地往前走，不必停留，反正我今晚一定会赶到布萨阿达去的。"

萨丹酋长说："你要停下来，我们一定陪着你，决不能放你一个人在这荒漠里赶路。何况后面还有追骑紧逼，要加害于你，哪里有让你一个人去抵挡的道理？"

泰山点点头不再多说，他知道萨丹为人豪爽，又是身经百战的老将，决不肯面临危难之时置朋友于不顾的，所以就不再多说。泰山也是习惯于沉默寡言的，恰巧阿拉伯人也不喜欢多嘴的人，所以萨丹对泰山格外敬重。

阿布杜尔时时留意着后面的六个人，他们离泰山一行很远，保持着一样的速度，如果前边的人歇下来，后面那六个人也歇下来。萨丹仔细观察这六个人的行动，对泰山说："他们似乎要等到天黑，在夜里动手。"

这时太阳已渐渐西沉了,但泰山等一行人因受阻于沙暴,还没有赶到布萨阿达。后面的六个人,却越逼越近了。于是阿布杜尔避开那姑娘,把这个新情况低声告诉了泰山,免得姑娘听了害怕。泰山说:"阿布杜尔,你和他们一道往前走,我慢慢地走在后面,倒看他们会怎么样。"

阿布杜尔表示无论如何不同意,他毅然决然要和泰山在一起抵御强暴。泰山也不勉强他,就说:"这样也行。这个地方形势很好,小丘上面有块大石头,我们可以躲避在后面。现在我们就下马伏着,等他们来吧!"说着就下了马,准备好来复枪和手枪。阿布杜尔把马拴在石堆后面。萨丹等人走在前面,不知道后面的事,渐渐走远了。这时夜色渐浓,冷风扑面,隐约可望见布萨阿达城里的灯光了。阿布杜尔拴好了马,低着身子,轻轻伏在泰山背后。

泰山挺身立在路当中,等候追骑逼近。霎时,马蹄声由远而近,黑暗中借着一些星光,略能辨出骑在马上的白衣人影。泰山厉声喊道:"快停住!不然我们要开枪了!"

那些白衣人听到声音,并不做声。这时候好像有人下了命令,六个人向四周散开了,立刻寂静无声,很像被泰山一声断喝吓得逃散了似的。阿布杜尔也站了起来,泰山使出丛林中惯用的本领,侧着耳朵静听,只听得马蹄踏在平沙上发出轻微的声音,从四面逼近。原来,他们打算包围!忽然,"砰"的一声,对面飞来一颗子弹,从泰山的头顶擦过。泰山也举起枪,对准放枪的地方还了一枪。

立刻枪声四起,好像响起了爆竹一样。泰山和阿布杜尔看不到目标,只能对着枪火闪动的方向回击,敌人似乎摸到了他们的虚实,于是越打越近了。

这时有一个敌人已经逼近,快到眼前了,泰山用出他在丛林中练就的在夜色中看东西的眼力,一枪打去,果然,马背上的人应声栽了下来。

另外五人仍在向泰山逼近,泰山和阿布杜尔躲在石堆后面,使匪徒摸不清虚实。泰山又放了一枪,又一个敌人跌下了马背。六个人中被打死了两人,力量已弱了不少。

突然间,枪声停止了,沙漠中一点儿声音也没有。泰山不明白,这是阿拉伯人的战斗力不够而退却了呢,还是找到了更为要害的地方埋伏起来,以图再来截击?泰山思考了一会儿,决定守在原防地不动,看看敌人动静再说。时间过去很久之后,仍无动静,泰山和阿布杜尔正想牵马上路,突然发现敌人截住了去路,四枪齐发,四个匪徒在拼命地冲过来。泰山和阿布杜尔正放开马缰准备迎敌,突然在匪徒们的背后,又响起了连珠般的枪声。阿布杜尔已听出了那呐喊的声音,知道是萨丹酋长的人马来寻找、救援他们来了。四个匪徒怕寡不敌众,不敢再战,冲了过去,向西迪艾萨方向逃去了。

老酋长和泰山、阿布杜尔会了面,知道他们都没受伤,十分高兴。但他埋怨泰山说:"你要和暴徒战斗,应该事先和我商量一下,咱们七个人的力量加在一起,还怕不能把他们一齐送回老家去吗?"

泰山说:"我不愿意因为我一个人的事,把大家都牵进来。而且还有你女儿在,就更不便了。她知道要厮杀,一定害怕,如果按你的意见，我们根本不用埋伏，等他们追到布萨阿达，咱们不是可以联合起来一战吗？"

老酋长听了，耸了耸肩膀，心里仍旧不高兴，因为他失去了一次报答泰山的机会。

他们继续前进，临近布萨阿达时，路上碰见一队驻扎在当地的军队，因为听到城外的枪声，出来巡视，看有什么事发生。那长官询问萨丹酋长，萨丹回答说："我们一行人，在路上遇到六个强盗，想抢财物，已经被我们打退了。有两个被我们当场击毙了。我们一行人中没有死伤的。"

长官听了他的话，觉得没有什么可疑，便问了他们的姓名，一一记了下来。他随即带了士兵，去收拾那两个强盗的尸体，预备有人来认领。

两天之后，萨丹领着他的女儿及随从等，收拾行装，启程南下，回故乡去了。临分别时，酋长和他女儿都诚恳地邀请泰山到他们部落去住些时候，但泰山背负着政府的使命，不敢远行，又不好明说，只好找个托词，说以后一定去拜望他们。原来这几天来，泰山已从萨丹和他女儿的谈话中，了解了不少他们部落里的情况，泰山很愿意去看看那里勇敢的居民，尤其是久闻大名的黑狮。他知道那里的居民忠诚勇敢、热情好客，不像文明社会的人那样伪诈奸猾。酋长说那里的人都健壮有力，也很有胆量，不然，怎么能跟野兽抗衡呢？在这种环境里生活，是最合泰山心意的了，所以他准备以后就到那里去长住，也许比在丛林中与野兽为伍要惬意得多。这两天来，他从酋长女儿口中，已学到了一些阿拉伯语，将来到萨丹部落去，语言也会渐渐不成问题的。

泰山恋恋不舍地送了他们一程，望着他们慢慢远去，直到望不见影子了，才慢慢地回到布萨阿达。

泰山住在布萨阿达的一个名叫"小沙漠"的旅馆里，靠近街道的一边是酒吧间和西餐厅。每间餐厅都和酒吧间相连，其中有一间餐厅是被当地驻军包了的。站在酒吧中间，可以看见左右两个餐厅，那里的人和事，一目了然。泰山送走了酋长等人之后，回到旅馆，时间尚早，大家都在吃早餐，泰山也踱了进去。

泰山偶然一抬头，军官们包的那间餐厅里发生的一幕立即引起了他的高度注意。原来热诺瓦上尉也在那里，有一个穿白披袍的阿拉伯人走近热诺瓦，弯下身子，低低地跟热诺瓦耳语着，说了一会儿就从另一个门走出去了。事情非常凑巧，那阿拉伯人和上尉耳语时，他身上的白披袍散开来，显露出了左手。那只手受了伤，用绷带吊在脖子上，这在泰山看来可是个重要的发现。

九
黑狮爱拉瑞亚

萨丹酋长南下返家的当天,北方来的邮车给泰山带来一封信,是得·阿诺寄到西迪艾萨城、又从那里转来的。泰山拆开读后,重重往事又涌上心头,不禁有几分伤感。信上是这样写的:

泰山,我的好友:

自上次给你信后,我因事去了伦敦。到伦敦的当天,在亨利埃塔街遇到了你的旧友菲兰得先生,他邀我到他的旅馆中去,在那里又见到了阿基米德·波德教授和琴恩·波德小姐,还有黑女仆爱丝米兰达。后来,威廉·克莱顿也来了。谈话中提到琴恩的婚期已近,因威廉的父丧未除,所以他主张仪式从简。后来菲兰得先生单独和我谈话时告诉我,说他俩的婚期因波德小姐的延宕已推迟三次了。好像琴恩不想立刻结婚,但这一次总不好再改期了。

他们都问起你的近况,我没有把你离开巴黎负有任务等详情告诉他们,只略说了些最近的情况。尤其是琴恩小姐,她对你非常关心,对你的一切问得很详细,颇有恋恋不忘旧情的样子。我真后悔,不该把你回到非洲故乡的事告诉她,因为我看她听了以后,脸上有忧虑的神情,好像凭空给她添了一层心事。她对我说:"你在荒野的丛林里或许不会觉得痛苦,可是远在文明社会的朋友们却为你担心,忧思重重呢。"她还说,在茂密的丛林中,风光明媚,远离人间,确也可以说是世外桃源。她回忆在丛林中的种种遭遇,虽然难免余悸在心,可是,当时也曾有过不少快乐,这种乐趣,此生恐怕难以再有了。如果有机会的话,她也愿意旧地重游。她说此话时,脸上流露着无限的悲哀,好像她心中所想只有你能理解,希望我把这几句话转告给你。

威廉·克莱顿每次谈到你,总有些尴尬和局促不安,不过,他对你也很关切。

威廉·克莱顿有一位名叫泰宁顿的老朋友,也和他们一起来了,你认识他吗?泰宁顿有一艘帆船,他打算驾着帆船到海洋中漫游,还要拉着朋友们一同去,当时他也邀请了我。他的意思是先绕非洲海岸航行一周。我当时就劝告他:帆船不够牢固是经不起惊涛骇浪的,不能和轮船相比,力劝他打消这个计划。我已于前日回到巴黎,昨天在跑马场遇到了兑·库特伯爵夫妇,他们都问起你。奥尔迦依然很漂亮,只是稍稍清瘦了些。她曾听罗可夫说,一定要结果你的性命以报昔日之仇,她很为你担心,为了叫罗可夫离开巴黎,她给了罗可夫两万法郎。她想,你再回巴黎时,就不会再撞见罗可夫了,这样,她觉得安心,伯爵也认为这做法妥当。

我已奉命回到舰上了,两天之后,将从勒阿弗尔开往他地,你如来信,可寄军舰转交。

你的挚友,保罗·得·阿诺

泰山把信读完,自言自语:"我真不安!奥尔迦为我花了两万法郎,可是,恐怕这是白费的。"

他又拿起信来,反复读着,尤其是关于琴恩那一段,泰山觉得这些话里别有一番滋味,读起来似乎能从其中找到一些东西来安慰自己。

光阴似箭,不知不觉又过了三个星期。泰山有好多次遇见那个鬼头鬼脑的阿拉伯人,有一次又瞥见他和热诺瓦上尉在商量什么。泰山虽然想尽办法侦察那人的行踪,但是一直没打听出什么来。而热诺瓦和泰山本来就不很投缘,上尉好像总是有意躲避他。

泰山为掩饰自己此来的使命,不得不装出爱好打猎的样子,天天在布萨阿达周围狩猎。有时甚至整天在外头,装出一种追猎羚羊的姿态,其实羚羊这种温驯柔弱的动物,泰山实在不忍伤害,即使羚羊到他面前来,他也不会开枪射击的。

有一次,泰山又出去打猎,由于是孤身一人去的,险些遭了暗算。这一天他正在山谷里张望,忽然从背后飞来一颗子弹,从头顶上穿过,几乎射中他。泰山回身,纵马去追寻那放枪者,追了半天,连影子也没看到,无可奈何,只好怏怏地回到布萨阿达。泰山思索了半天,仍疑心是罗可夫干的,他心里暗想:"奥尔迦这两万法郎,看来果真是白白花掉了。"

那天晚上,热拉尔上尉请他吃饭。谈话间,热拉尔问他:"你打猎的本领,似乎未必高明吧?"

泰山说:"不是的,这里的野兽都匿迹不出来,一些弱小的禽兽,我又不忍打它们,所以成绩不好。我想到南面去,设法打些大狮子。"

"这可真巧了,我们正奉上级的命令,明天早晨开拔到杰勒法去剿匪。我和热诺瓦上尉带一百名士兵,到南面某地去,或许有机会陪你一同猎狮,你看如何?"

泰山听了非常高兴,当时就答应同去。但热拉尔并不知道泰山高兴的真正原因。热诺瓦上尉就坐在泰山对面,听热拉尔邀泰山同去,心里老大不高兴,但脸上不便露出来。

热拉尔又对泰山说:"你虽然觉得猎狮比猎羚羊有趣,可是危险性也要大得多呢!"

"猎羚羊也未必毫无危险,羚羊能上的都是危险的山路,尤其当你单身出猎的时候,并不安全。不过,我觉得羚羊攀险路只是逃命,倒没有阴险害人的成分。"泰山这样回答的时候,偷眼看看热诺瓦的表情,想试探一下白天放冷枪是否与他有关。只见热诺瓦的脸一红,表情很不自然,泰山也就明白了,随即把话岔开,不再说这个话题。

第二天早晨,他们从布萨阿达出发,有几个阿拉伯人跟在后面同走。泰山有点疑惑,就问热拉尔是怎么回事。热拉尔说:"他们和军队毫无关系,只是和军队做伴同走,比较热闹些。"泰山却素知阿拉伯人的心理,他们决不肯与生人同行,对法国军队尤其疑忌，现在肯和法国军队同行，其中一定另有缘故。于是泰山就留心注意着他们，但那些阿拉伯人，和军队总保持一定距离，不远不近，使泰山的侦察颇感困难。

泰山心里暗想，这些人中，或许有暗杀的凶手，可能就是罗可夫花钱买通的。可是他们之所以暗杀自己，到底是罗可夫想报私仇呢，还是与热诺瓦上尉不可告人的事有关？关于这些他却无法断定。但是，他把最近发生的一连串事联系起来想，热诺瓦确实大有可疑。如果这个推测不错，自己有了罗可夫和热诺瓦这两个仇人，处境确实很危险了。因为这荒僻的沙漠地带，仇人对自己下手是很容易的，而且决不会败露。

军队在杰勒法住了两天就得到了情报，匪徒在西南方向猖獗劫掠，必须去追剿。那几个阿拉伯人从布萨阿达跟军队到杰勒法，直到军队开拔剿匪的前夜，突然不见了。泰山从各方面侦察都没发现他们的去向，也不知他们何以消失得这样快。热拉尔上尉发令，次日开拔。半小时后，泰山瞥见热诺瓦在和一个阿拉伯人谈话。泰山觉得情况不妙，因为行军路线只有热诺瓦、热拉尔和自己知道，至于士兵们，只是听候命令，从来不会知道目的地的。泰山疑心热诺瓦把军事秘密泄漏给了阿拉伯人。

行军一天，到傍晚，走到一个荒村附近，就在这里拉帐篷宿营。当地土著人的牲口都被匪徒抢光了，守卫者也被杀死了。土著的阿拉伯人看见士兵，都从羊皮帐篷里爬出来向士兵打听，那些士兵都会说阿拉伯话。泰山自从和阿布杜尔结识以来，也学了不少阿拉伯话。当地的酋长来见热拉尔时，热拉尔便向酋长的随从打探消息。

据他们说，最近几天，并没有看见六个阿拉伯人从杰勒法来，也许到其他的部落去了。但这里的人知道他们，因为这里常有盗匪横行，出没无常，常有大队盗匪到布萨阿达或别的市镇上去。这六个人可能是匪徒的首领，到热闹的市镇上去探听消息。

第二天早晨，热拉尔指挥士兵分成两队，一队由热诺瓦带领，一队由热拉尔带领，他们将分头到山里去围剿。这时，热拉尔问泰山说："你愿意跟哪一队去呢？你是猎狮的，不是打土匪的，也许你根本不想跟我们去？"

泰山连忙说："我极愿意同去。"但泰山心中正在盘算，该找什么理由，才能妥当地表示愿意跟热诺瓦的一队去。没想到热诺瓦却在旁边说："假如热拉尔上尉这次愿意放弃与泰山先生同行的荣幸，我极希望泰山先生能赏光，和我那一队同行。"

看热诺瓦说话的态度很诚恳，泰山感到他的诚恳有些做作，与他平时的冷漠相比有些反常。不过，他主动约自己同去，对于泰山来说却是正中下怀。

于是，热诺瓦和泰山两人骑马走在前面，后面跟着一队士兵。热诺瓦的态度却是前恭后倨起来，方才还向泰山殷勤邀请，这时又忽然作出冷漠高傲的样子来了。泰山没有去理会他，只是跟着赶路。山路崎岖，很不好走，到中午时候，已是人困马乏了。这时正走在一条峡谷里，两旁都是峭壁，中间一条狭路，只能容一个人和一匹马单走，鱼贯而行。这时，天已正午，大家都感到应该吃午饭了，于是就在一条山泉旁边吃着行军干粮。在那里休息了一小时，又继续前进。不久，到了一个小山谷里，四面峭壁耸立，只有少数狭道可以通行。他们就在这个地方小作停留，热诺瓦上尉仔细观察了地形,便下令道:"我们需再分几个小队,向各峡道中巡查。"

当时他的部下就分作几个小队,每小队由一个下级军官带领。热诺瓦转身对泰山说:"请先生在这里等,听候我们的消息。"

泰山刚想开口,热诺瓦马上止住他说:"我们此行原为剿匪,再往前走就有可能开火,如有局外人在队伍中,多有不便。"

泰山说:"我愿意听阁下指挥参战,决不会有误军机的。"

热诺瓦厉声说:"行军打仗的事,要照我的命令执行,这是军令!我要你留在这里等我们回来,你不得违抗。"说完就转身下令,命各小队出发,各队都奔出了峡谷,只剩下泰山一人孤零零地留在山谷里。

这时骄阳似火,晒得泰山十分难熬。泰山把马牵到树荫下拴好,自己也坐在阴凉地上吸烟。他暗自揣摩热诺瓦的居心,真是不可理解,主动邀请自己同来,又把自己丢在半路,真是太不通情理了。泰山想到这里,总觉得其中有些蹊跷。于是他起身取出来复枪检查了一番,子弹已经装足,然后又检查了手枪,以防突然情况出现。他在四周的峡道里巡视了一遍,然后坐在一个险峻的地方,静观事态的变化。看看太阳已渐西沉,还不见那队士兵回来,不久天就完全黑了,泰山还在等着,认为他们既然约定了要回山谷来,自己不能失约独自回去,一定要等他们。不过,处在黑暗之中泰山反觉安心,不担忧有人放冷枪了。不论有什么东西走近,他都能用耳朵听到,他的眼睛也能在黑夜中看见东西,他的嗅觉也能帮助他嗅到危险的气味。因此,他觉得没什么可怕,背靠着树,渐渐迷迷糊糊地睡着了。

泰山轻轻闪向旁边，躲开黑狮的视线。

泰山这一睡竟睡了几个小时。忽然,他被一声马嘶惊醒了。他睁眼一望,明月在天,夜色如昼,离他不到十步远立着一头猛兽,正目光灼灼向泰山怒视。泰山仔细一看,原来正是久闻大名的黑狮。乍见之下,一瞬间他也吓了一跳,但马上镇静下来,自己不是正要找它吗?这次不期而遇,他心里不禁有几分高兴:久欲寻它,今天到底如愿以偿了。这头狮子果然壮美,鬣毛特别浓密,狮头硕大,体型也比一般狮子高大得多,若不是它要扑上来,泰山还真不忍心杀它。眼看着黑狮就要扑上来了,泰山慢慢举起枪,"砰"的一声,射在黑狮的肩上。泰山过去在丛林中从没有用枪打过野兽,他惯用的武器只是刀、绳、毒箭、长矛,甚至徒手,所以他对用枪并不熟练。

这时黑狮的前腿向后一缩,身子紧贴地面,泰山马上向旁边一闪,因为他知道狮子受了打击之后,不用两分钟,就会迎面扑来,其猛势不可当,必须迅速避开。泰山轻轻闪向旁边,躲开黑狮的视线,他全神贯注地盯着对手。黑狮仍然站着没动,泰山也静静地等着,用他的眼睛和耳朵,捕捉着瞬息的变化。

泰山又对黑狮放了一枪,黑狮负痛向前直扑过来,泰山的马吓得要命,挣断了缰绳向着山谷逃去了。泰山并不恐慌,因为他从儿童时代就受过猎狮训练,即使在最危险的时候也不会张皇失措的。黑狮的动作虽然快,但泰山比它更快。黑狮扑过来时,泰山猛地一闪,黑狮不但没抓到人,自己反而撞在树上了。

泰山趁黑狮撞昏的机会又放了几枪。黑狮身中数弹,狂吼几声,倒在地上死了。这时的泰山不自觉地又显出人猿的习惯,高昂起头,脚踏在黑狮身上,长啸一声。这声长啸在这半夜的深山里，真是山鸣谷应，声音传得非常远。荒山中的大小动物被震栗起来，就连附近部落的土著阿拉伯人，也以为山里又来了什么吃人的怪物，吓得发抖，谁也不敢出来看。

离泰山不远的地方，有二十多个穿白披袍的阿拉伯人，拿着长枪在山里行进，他们也听见了这恐怖的叫声，惊疑地互相说了几句话，但接着又万籁无声了，于是他们便轻轻地依然向山谷里奔来了。

等了许久，泰山始终没见热诺瓦带着士兵回来。他渐渐明白，这些军人不会在深山峡谷里过夜的，估计他们从别处抄近道回去了，有意丢他在峡谷里喂狮子。幸而泰山在蛮荒中训练有素，不但没被狮子吃掉，反而打死了这头远近闻名的黑狮，取得了很大的胜利。他决意下山，但马匹已经没了，只得步行。他心里暗想，这次回去，寻到热诺瓦上尉，看他怎么说。

泰山刚离开山谷，那群穿白披袍的阿拉伯人，正从各个峡道冲进山谷，仔细搜查，不见泰山的踪影。在树底下，他们却发现一头死了的黑狮。大家都围拢来看，不胜惊奇。他们商量了一会儿，便从峡谷向下走，轻步前进，追踪泰山。

十
从死亡的阴影中逃脱

泰山走出峡谷,看到明月在天,山林阴暗,不禁回忆起过去的丛林生活。他因为刚才猎狮的胜利心情很愉快,昂首阔步地走着。忽然,他听到远处有一种奇怪的声音,开始他以为是野兽,仔细听了听,里面夹杂着人的声音。泰山是有着特殊听觉的,他听出了人的脚步声追踪在他后面,而且越来越近了,泰山很快地向旁边一闪。

泰山暗想,这是热诺瓦上尉的军队回来了吗?不像!没有马蹄的声音。走到近处,脚步声停住了,而且隐约看见白色的衣服在闪动,显然是阿拉伯人。泰山向他们端起来复枪,用法语喊道:"什么人?"他的话音还没落,前面就飞来一颗子弹。泰山急忙躲避,但枪弹的速度毕竟比人的速度快,头部还是被打中了一下,虽不致命,但被震昏了。打枪的人枪法不错,泰山如果没有超常迅速的动作,这一枪就难以活命了。

那群阿拉伯人还不敢马上走近泰山,他们怕他突然起来反击。等了一会儿,见泰山不动,他们才敢上前细看,见泰山已昏迷,但并没有死。其中有一个人举起枪来。对准泰山头部准备射击,旁边却有一个人劝阻他说:"且慢!我们把他活捉回去,不是可以得到更多的赏金吗？"于是他们就把泰山捆了个结实。四个人扛着他,向沙漠走去。他们拐出山谷,一直向南走,到黎明时分,有两个同伙带着马,等在约定的地方。

泰山苏醒过来,枪弹在他额角上划了一道槽,擦破了皮肉,幸而没伤到骨头。这时血已止住了,只是脸上、衣服上,都是斑斑血迹,凝成了血块。阿拉伯人把泰山缚在马背上,他闭着眼不出声也不动弹,有意装作昏迷的样子,等待时机。可是阿拉伯人一直围在左右,使他无法采取行动。

走了大约六个小时,一路上经过的全是荒僻沙漠,也许是他们故意避开草地免得惹人注意。直到正午的时候,到了一个部落,那里有二十几个帐幕。阿拉伯人把泰山从马背上解了下来,这里的土著男女老少都拥了出来。大家把泰山当作个戏弄的对象,有的拿石块扔,有的拿树枝戳。幸而来了一位酋长,把众人赶开说:"有人告诉我,这个人在山里独自打死了一只黑狮,真算是一条难得的好汉！我不明白为什么那个外国人要托我们捉他,至于捉到了交给那个外国人以后还会怎么样,我们可以不管这些闲事。不过像这样的英雄,我们应该敬重他,应该好好待他,给他治伤止痛,不许任何人欺侮他！"

泰山幸遇这位酋长解围,才没再受土著们的虐待。他们把他抬到帐篷里,放在干草上,四肢仍紧缚着。泰山抬头看看,帐外还有人荷枪守卫。现在他全身被绑,动弹不了,只有等机会再想办法逃生。

天近黄昏时,帐篷里走进了好几个身穿阿拉伯服装的人,其中一个走到泰山身边,揭开遮着面孔的头巾,泰山一看,原来就是罗可夫。他凶残的脸上露出得意而狰狞的笑容,冷笑着说:"泰山先生!好久不见了,你怎么不站起来迎接客人呢?"接着又厉声说:"恶狗!站起来!你自己也没想到会有今天吧?你到底落在我手中了!现在给你点味道尝尝,让你也知道一下,我罗可夫可不是好惹的!"

他说着提起脚来,向泰山头上、身上乱踢。泰山咬住牙,只瞪着眼睛望着他。站在旁边的酋长看不过去了,喝住罗可夫说:"你要杀他,我不管,不许在我这儿撒野!你侮辱一个绑着的英雄,又算什么好汉?有本事我把他绳索解开,你再踢他,那你才不愧是条好汉!"

罗可夫听酋长这样说,只好停住。他是领教过泰山的神力的,如果真松了绑,那可不是闹着玩的。于是他答应酋长说:"那么好吧!我马上把他杀死!"

酋长厉声说:"你要杀他当然不关我的事,但是不准在我的部落里杀,你得把他带到别的地方去动手。我不愿看到一滴法国人的血流在这里,免得将来受无穷的牵累!"

罗可夫无奈,气哼哼地说:"好吧!就依你的话,把他交给我,我到沙漠里去给他送终!"

酋长又提出一个条件说:"不管你把他带到哪里去动手,总得离我的部落有一天的路程。我派几个部下跟你一同出发,一路监视着。如果敢不依我的话,我叫他们连你一起杀掉!"

罗可夫这下软下来了,说:"这样说来,只好等明天了,现在天黑了,到沙漠里去太不保险了!"

酋长说:"这就悉听尊便。但是,明天一早,你必须离开我的部落。我不喜欢外国人在我这里耽搁,更不愿留你这样的懦夫!"

罗可夫还想争辩,但听酋长的口气已经不好听,只得忍下一口气,一言不发跟着他们往外走。走到帐篷门口,罗可夫回头对泰山说:"留你多活一夜,你好好地睡一觉吧!"

泰山在黑暗中又饥又渴,没有人给他东西吃。他向帐篷外看守的土著人要了三次,外面的人都置之不理。随着风声,他听到远处有狮子的吼声。泰山根本睡不着,心里产生了许多痛苦的想法,他觉得与同类相处以来,所遭的危险要比在丛林中与野兽为伍多了许多,人心实在是太可怕了。狮子的吼声一声比一声近了,泰山当时也想迎风长啸,但他挣扎却不能动弹,气都喘不上来。他想到几个小时之后,性命就要不保了,反不如狮子自由快乐。他正想着,忽然听见有一种东西在地上爬着,发出很细碎的声音来。他知道有野兽来了,但他没有办法用上力气。

过了好一会儿,泰山全神贯注地听着:那爬来的声音,是从帐篷外后山那个方向过来的,而且越来越近了。他再侧耳细听,响声突然没有了。泰山不禁诧异起来:明明听见有野兽爬近了,而且就在帐篷背后,怎么一会儿又万籁俱寂了呢?

突然,那声音又响起来了!那动物已经很靠近了。泰山努力回过头去望了望,虽然四围一团漆黑,泰山还是能看见,帐篷的后边慢慢被掀起来了,一个模糊的黑影,匍匐前进。在一瞬间,泰山看见了天上闪着星光,像平时他所看到的一样。

泰山暗暗希望这东西马上扑过来,咬住自己的喉咙,顷刻间把自己吃了,这样总比明天早晨死于罗可夫的毒手好得多。

这时,那黑影已爬进帐篷了,慢慢地爬到了自己跟前,泰山只有闭目等死。但他只觉得一只温软的手掌在自己脸上抚摸着，一个女子轻柔的声音伏在他耳边问："是泰山吗？"泰山低声答道："我是泰山，你是谁？"

"我是西迪艾萨跳舞的姑娘。"

泰山感觉到她在用刀割断绑着自己的绳索，只有几分钟，泰山的束缚完全解除了。

"跟我来！"那姑娘说。

泰山伏在地上，跟着那姑娘，从她进来的原路爬了出去，静悄悄地爬到一丛矮树旁。泰山和她并肩坐下，泰山问她："我真不明白你怎么会到这里来？你怎么知道我落入了罗网，关在这里？你怎么敢独自一人跑来救我？"

姑娘笑着说："今晚我是从远处赶来的。现在，我们不宜在这儿停留，赶快走为上策，尽早逃出险境，不要被他们发现了。我一边走一边告诉你吧！"他俩站了起来，顺着山坡，向沙漠奔去。

他们一路走着，那姑娘说："我因为心急，赶来救你。当我下马走过来时，那寻食的黑狮，吼声就在我附近。我真害怕，恐怕救不了你自己反而被狮子吃了。"

泰山说："你真是个勇敢的姑娘，不辞万险，远路来救我！"

那姑娘说："我是萨丹酋长的女儿，当初你救我逃出火坑的时候，不也冒着危险吗？现在我知道你遇难，怎能袖手旁观呢？也许最初你只以为我是个普普通通的跳舞姑娘。"

泰山说："你真勇敢！不过，你怎么知道我有急难呢？"

姑娘说："我的表兄名叫太伯，他正在这里探望朋友，看到你被他们捉到这里来。他回部落之后，就说给我们听，说这里的酋长替一个法国人捉了一个魁梧的白人,要害他的性命。从我表哥说的身材、模样和衣着,我断定被捉的一定是你。当时我父亲正好外出了,我慌得没办法,部落里的人不肯听从我的命令。他们说:'让他们欧洲人自相残杀去吧!只要不来侵犯我们,我们何必去多惹是非呢?'我听了没有办法,只好单身飞骑连夜赶来救你。而且我还多带来一匹马,准备给你骑。大概到天亮的时候,我们就可以赶到我父亲的部落了。他现在也许已经到家了,我们到了那里,就什么也不用怕了。"

走到原来拴马的地方,姑娘惊慌地说:"我的马方才就拴在这里的呀!怎么不见了?"她向四面寻找了一下,仍然不见,姑娘十分焦急地喊道:"它们跑掉了!我记得很清楚,两匹马就拴在这里!"

泰山俯身细看,只见地上有个坑,是一棵树被连根拔起的痕迹,周围有马蹄印,也有狮爪印。他十分失望地对姑娘说:"黑狮到这里来过了,不过马比狮子跑得快,所以逃跑了,没被狮子吃掉。"

现在他俩没有坐骑,只好步行回去。那姑娘路径很熟,在前引路,泰山恐怕她走不快,所以用手臂扶着她的肩,使她和自己走得一样快。他们边走边谈话,有时也停下来,听听后面有没有追兵。

那半轮明月,悬在天上,夜色十分清丽,在他们身后,平沙无垠,偶然有几丝绿色植物点缀。这些野枣树丛丛突起,好像海洋中突起的岛屿,前面有耸峙的高山拦在去路上,在这么寂静的环境中,泰山不禁百感交集,他看看身旁的姑娘,在如此荒无人烟的沙漠里,她与自己本属萍水相逢,现在竟比亲兄妹还要亲,真是难得!

他们走的路有点崎岖不平起来,逶迤曲折,渐渐越走越慢。有好长一段时间,他俩都没说话。姑娘在思考,单靠步行,没有马匹,恐怕走不到父亲的部落就会被后面的人追到,捉回去了。泰山也热切希望快到目的地。他俩顺着路,转了一个弯,突然,身不由己地都停住了脚步。原来一头凶猛的黑狮就站在前面,一双碧绿的眼睛,射出怕人的光芒,同时露出可怕的利齿,摇晃着像铁鞭一样的黑尾。那两匹马它没有吃到,大概已经饿了多时,一见他们,立即发出贪婪的怒吼,预备饱餐一顿。

"你的刀呢?"泰山边说边向姑娘要刀,等接过刀,又对她说:"你快走,避在远远的沙漠的那一边,等我去叫你的时候,你再回来,等完全没有危险了我们再走。"

那姑娘不肯,说:"逃避既已没有用了,要死就死吧!"

泰山焦急地催她快走,说:"请你听我的话,赶快让开,让我结果它的性命,你走远一点,免得伤着你!"

她无可奈何,只好向后退了几步,但也并没远去,躲在路边,吓得浑身发抖,眼看着黑狮向泰山走去了。

那黑狮把头部贴近地面,竖起尾巴,缓缓地逼近泰山。

泰山也不躲避,只把身子蹲下来,手里握着那把阿拉伯刀,映着月光,冷气森森。躲在旁边战栗的姑娘,既惊异泰山的勇敢,又不禁替他担心,看泰山的姿态,好像在对狮子示威,非常从容。

这时黑狮已到了泰山面前,放低身子,一声怒吼,朝着泰山直扑过来。

十一
伦敦的约翰·考德威尔先生

泰山有了上一次与黑狮搏斗的经验,这次就更为镇静了。当那黑狮吼着扑过来,泰山只稍稍一跳,就闪在了旁边并不太远的地方。他趁势从后面跳上狮背,用一只手抓住黑狮的鬣毛,奋力将狮头向后拉起。那黑狮正想重新跳跃,但背部被压住,已经难于腾身了。泰山于是用手中的刀,向黑狮的喉部、胸部乱刺。黑狮负痛,嘶哑地吼叫着,猛然直立起来做垂死挣扎。泰山也立刻改变姿态,两腿夹紧狮腰,像对付直立而嘶鸣的马一样,一只手仍紧紧抓住鬣毛不放,另一只手用刀又向狮子的喉头猛刺几刀。那狮子的两只前爪凌空乱抓了几下,滚在地上死了。

那姑娘站在旁边,看得惊心动魄,已经目瞪口呆了。忽然看见泰山一只脚踏在狮身上,长啸一声,这种声音,完全不像是从人口中发出来的,她不禁吓得全身发抖、直向后退。幸而泰山马上恢复了常态,转过身来,向她微笑着。于是她也微笑着走向泰山说:"你是怎样的一个人啊!这一声长啸是你的声音吗?想不到你独自一个人,只有一把短刀,竟然杀死了一头黑狮,自己又一点也没受伤,真是无敌的勇士!"

泰山有点不好意思地说:"刚才我一时失态了。有时我常常忘记自己是人类,每逢我杀死动物、取得胜利的时候,就会按照大猿的习惯,这样长啸一声。"

杀死黑狮之后,泰山和姑娘继续前进,翻山越岭,又回到沙漠上。这时太阳已经升高了,他们到了一条小河边,瞥见有两匹马,正是姑娘昨晚带来的。姑娘用手圈成喇叭形,一声高喊,那两匹马顿时抬头竖耳,向他们奔来。他们抓住缰绳,骑上马向萨丹酋长的部落加鞭驰去。他俩走到沙漠尽头,仍不见有人追来,于是放心了,仍旧加紧向前奔驰。

大约九点钟光景,他俩已走近目的地了,却见一群人马迎面而来。原来早晨萨丹酋长回家后发觉女儿不见了,疑虑交加,不知是不是又被匪徒拐走了。于是立刻从部下中挑选了五十名健壮的青年,出来寻找。他们飞骑出来,走了没有多远,就碰见泰山和姑娘一起回来了,萨丹高兴得合不拢嘴。他非常赞赏女儿的勇敢,敢于独自一人,连夜去营救恩人,而他对泰山的意外归来也表示极为热诚的欢迎。

那姑娘就把她如何连夜去营救泰山,以及目睹泰山如何杀死黑狮的事,都详细讲给大家听,这些阿拉伯人听了,都赞不绝口,对泰山敬若天神。萨丹酋长是个非常讲义气的人,他坚决要留泰山住在他的部落里。若论泰山本意,倒也愿意,此地打猎游牧,天高地阔,可以逍遥自在;部落里的人,个个和他意气相投,大家对他都非常敬重。如果他长住在这里,何尝不是一件乐事呢?但他想到身负法国政府的使命尚未完成,决不能半途而废。于是他谢绝了老酋长的好意,住了一个星期,就匆忙道别了。

泰山走的那天,萨丹酋长决定带领五十名武士,护送泰山到布萨阿达。姑娘也想送他,但被泰山劝阻了。她带着非常纯真诚挚的表情说:"自从你来到这里之后,我天天暗中祷告,希望你永远不要离开这里;现在你决意要走,我仍要日日祷告,希望你有朝一日会回来。"泰山看她两眼含泪,脸上却挂着凄楚的微笑,自己心里也觉得很难过,只好勉强说了一句:"后会有期。"掉转身就同送行的阿拉伯武士走了。

当走到布萨阿达边界的时候,泰山便和萨丹酋长约定,为了不惹人注意,萨丹先进镇,在某个旅馆住下,泰山等天黑之后再进镇。萨丹听了,就带领大家先走,约定晚上在旅馆相见。

泰山在镇外独自徘徊到天黑,幸好没遇见什么相识的人。他从僻静的小巷拐进镇去,走到相约的旅馆,找到萨丹酋长,一起吃了晚饭。泰山请酋长和他的部下帮他打听罗可夫的行踪。

晚饭后,泰山从曲曲折折的小巷中穿行到过去住过的"小沙漠"旅馆。他从后门进去时,旅店主人见了他,大吃一惊,以为见了鬼,因为他听说泰山已被黑狮吃了。店主定了定神之后,就去拿了一袋信来给泰山,其中有一封是法国政府来的,命令他暂时停止目前的工作,尽快搭最近期的船到南非南端的开普敦市去,和另一个特派员接洽要务,事关秘密,不便在信上说明。泰山立刻去打听船期,决定第二天早上动身,离开布萨阿达。据旅店主人告诉他,热拉尔上尉已于前日回到这里来了。

泰山立刻赶到军营拜访,热拉尔见了泰山也吃了一惊,诧异地说:"热诺瓦上尉回来告诉我们,那天他们出发,你要求独自留在山里打猎,后来他们回来找你,就不见你的踪影了,以为你被狮子吃了。我也去找过你,只在山边找到了你的手枪,过了一天,你骑的马也回来了，我们断定你一定遭了不幸。热诺瓦上尉非常伤心，他再三抱怨自己，不该留你单独在山里，后来，仔细寻找你的工作，也由他担任。你掉下的来复枪，还是他从一个阿拉伯人手里拿来的。现在，他如果知道你平安无事地回来了，一定也喜出望外呢！"

"那当然的！"泰山强装着笑脸说。

"可惜他现在到镇上去了，否则可以请他来和你谈谈。"热拉尔上尉热心地说，"等他回来的时候，我先告诉他一声，好让他放心。"

泰山只推说在山里迷了路，后来走到萨丹酋长的部落里去了，萨丹把他护送回了布萨阿达，所以耽搁了这些天，说完向热拉尔上尉告别。他回到镇上，萨丹酋长的部下已探听到了重要的消息，那个手腕受过伤的、化装成阿拉伯人的欧洲佬，到其他地方去了一趟，现在已回到布萨阿达了，住在一条狭窄肮脏的小巷里。泰山问明了确切的地点、方位，立刻赶了过去。

泰山果然寻到了具体的位置，他从一条破旧黑暗的楼梯上去。楼上有一间房子，门关着，窗里却透出灯光来。这窗正在泥墙的屋檐下，泰山伏在窗台上，抬起头来，正好能看到里面。在灯光下，罗可夫和热诺瓦上尉正面对面坐着。热诺瓦说："罗可夫！你真是个魔鬼！你逼着我干尽了坏事。泰山和我无冤无仇，你硬逼我害死他。现在你还跟我纠缠个没完，要不是你身边有个鲍勒维奇，今晚上我非要了你命不可！"

罗可夫对热诺瓦的咒骂根本不在乎，他满脸狞笑地说："我想，你不会出此下策的。我已经吩咐过鲍勒维奇，如果我被人暗杀了,他可以马上拿着你的秘密去报告法国陆军部,另外,还可以控告你是一个杀人犯!别胡思乱想啦!你我是好朋友,你看!我不是把你的名誉,看得和我自己的一样宝贵吗?"

热诺瓦冷笑一声,仍在低声地诅咒着。罗可夫又继续说:"你得再付我一笔小小的款项,还有我问你要的秘密文件,我拿到手以后,决不再问你要钱,也不问你要别的东西了。"

热诺瓦满腹怨气地说:"你现在要的那笔钱,已经让我倾家荡产了,你还想要什么?秘密文件也只有这一份了,以后再要也没有了。你又要钱又要文件,简直太说不过去了。"

罗可夫死皮赖脸,又带几分威胁地说:"我可不是无功受禄的,我为你保守秘密,这还不是个交换条件吗?你不想交出钱和文件吗?我再宽限你三分钟,如果你真舍命不舍财,我今晚就写信禀告你的上司,看你有什么办法能逃脱政府的制裁?"

热诺瓦上尉低头不语,迟疑了一阵,站了起来,从他外衣口袋里掏出两张纸来,绝望地说:"在这里,给你!我已经准备好了。我早知道跟你会面,绝没有好结果。"说着,都交给了罗可夫。

罗可夫得意忘形,他满脸狞笑着从热诺瓦手里夺过那两张纸来,说:"你总算还识相,热诺瓦。我决不再打扰你了,除非你手里又积蓄了造孽钱,或者手里又有了我要的秘密,到时候我们再见!"

热诺瓦咬牙切齿地说:"畜生!你休想再来!下次我一定打死你。今晚到你这里来之前,我桌上放着两样东西,一样是手枪,另一样是给你的文件,我犹豫再三,拿不定主意。下次我决不再犹豫了,我已经下了决心,假如下次你还这样贪心不足,仍向我勒索,小心!不会让你再有今晚这样的运气。"

热诺瓦说完,气哼哼地站起身来就走,泰山来不及避到黑暗的走廊上去,只好把身子贴在门边的墙上。幸好天上没有月光,他离门又有几步路。门开了,热诺瓦走出门外,站住,罗可夫跟在他后面,两个人都没说话。热诺瓦走出三四步,又停住了,回转头来,好像还要对罗可夫说点什么。泰山正恐怕被他们发觉,热诺瓦却又转身走了。罗可夫向外望了望,接着就把门推上了。

泰山等热诺瓦走远了,就去推开门,走进屋去,一把把罗可夫按在椅子上。罗可夫一见正是冤家路窄的仇人,吓得面如土色,气喘吁吁地说:"你!"

"我!"泰山回答说。

"你来做什么?"罗可夫低声问。他看着泰山的眼睛正怒视着他,又鼓起勇气来,想为自己争取一线活命的希望,说:"你是不是来谋害我的?请你不必冒险,杀人偿命,律有明文,你自己也逃不了上断头台。"

"我要杀你就杀你,况且,既没有人知道你在这里,更没有人知道我在这里。你的同伙鲍勒维奇以为是热诺瓦杀的你。像你这样的恶魔,谁都该杀了你替社会除害。今天你又碰在我手里,你休想活命了!"

罗可夫这才知道,他对泰山的威胁根本不起作用,正想大喊救命,泰山抢在了他前面,用两只如铁钳一样的手,卡住了罗可夫的脖子。罗可夫起初还想反抗,嘶声叫着,哪知泰山的手越扣越紧,他透不过气来,立刻青筋暴涨,脸色黑紫,只剩下手脚抽动的份儿了。泰山见他就要死了,转念一想,罗可夫若被掐死,鲍勒维奇必然加害于热诺瓦,这是自己所不愿的,于是就松了手。等罗可夫缓过一口气来,泰山对他说:"今天,我只是让你尝尝死的滋味,这次我不想要你的命,看在令妹的情面上,饶你这最后一次。从今以后,你若再不离开法国,还要横行不法,那我可就不再客气,不会像今晚这样松手了。"

泰山向桌上一看,放着两张纸,一张是支票,一张是秘密军事文件。泰山料到罗可夫已略略读过了,可是文件的内容不少,罗可夫不会都详细记住,即使有所泄漏,估计也不会有多大损害。于是他拿起文件放在衣袋里,对罗可夫说:"这东西若送到法国陆军参谋部去,大概总会极受欢迎的吧?"

罗可夫已经手脚瘫软,只能眼睁睁看着泰山把文件拿去,动弹不得,也不敢做声。

第二天早晨,泰山就离开布萨阿达,向北面走,以便到阿尔及利亚乘船。他经过旅馆门口时,瞥见热诺瓦上尉站在走廊里,刚好回过头来,和泰山的视线接触了一下,热诺瓦的脸色,突然白得像纸一样。泰山本不想让他看见,但躲避已来不及了。两个人勉强打了个招呼,热诺瓦战战兢兢,两眼发直,活像见了鬼一样。

到了西迪艾萨,泰山偶然遇见一个法国军官,是暂住在这镇上的,他和泰山,新近在布萨阿达认识。他问泰山:"你是今天一早离开布萨阿达的吗?热诺瓦上尉出了不幸,你知道吗?"

泰山说:"我临走的时候,他还和我打过一个招呼,他出了什么事?"

那军官说:"他用手枪自杀了,就在早晨八点多钟的时候,真可怜呀！"

两天之后，泰山已到了阿尔及尔，一问才知道，开往开普敦的船还要等两天的时间。泰山趁这个空闲写了一份关于热诺瓦情况的报告，以完成他的使命。从罗可夫手里取回的秘密文件，恐怕中途有失，没有寄去，他在报告中说明，"回巴黎时面呈"。他又依照政府的命令，把自己的名字改成伦敦的约翰·考德威尔先生。

泰山上船的时候，看见甲板上有两个衣服华丽的人，一个是高个子，深黄头发，但眉毛却是黑的，他们紧盯了泰山一眼。隔了一天，泰山在甲板上散步，又看见这两个人，他们立即掉转身去，不让泰山看见他们的面目。泰山也十分注意了这件事，但是他想，罗可夫刚吃了他的苦头，大概会稍稍收敛一些，不至于马上又为非作歹吧？有一件事，他却百思不得其解，政府为什么要他改名换姓，扮作伦敦的约翰·考德威尔？到开普敦去，叫他接洽什么工作？他左思右想，怎么也想不明白。

晚饭的时候，泰山坐在一位年轻姑娘身旁，船长正在他们左边，就顺便替他俩介绍了一下：那姑娘是斯特朗小姐。泰山初听这个名字，好像有点熟，仿佛在什么地方听到过。后来又听到她母亲叫她的小名：海兹尔。泰山一听这个名字，才完全记起来。记得自己平生看到的第一封信，就是琴恩写给她女友的，那还是在非洲丛林的小屋里。有一天晚上，他看见琴恩伏在写字台上，披着金色的秀发，写了一小时光景的长信。后来琴恩睡了，他偷看了那封信的上款，就是海兹尔小姐。

难道，自己面前这位姑娘就是海兹尔？就是琴恩的好朋友吗？

十二
落 水

现在让我们返回头来,再补叙几个月之前的事,就从威斯康星北站一个迎风的小站台上说起吧。

附近的森林遭了火灾,浓烟低低地笼罩着四野,呛人的烟雾,刺得这里的六个人直流眼泪。他们在等候一列往南方去的火车。

阿基米德·波德教授抓着长外衣的下襟,在站台上不耐烦地走来走去。在几分钟内,他竟有两次心不在焉地穿过轨道,向附近的沼泽地方向走去,幸亏都被一直盯着他的、对他忠心耿耿的秘书菲兰得先生拉了回来。琴恩·波德小姐、威廉·克莱顿和泰山三个人在一起,正谈得高兴。在波德小姐的身后,站着她的女仆爱丝米兰达,她在高高兴兴地照看着行李。远处黑烟缭绕,火车就要开过来了。等车的人手里都提着随身的轻便行李。威廉·克莱顿突然失声叫道:"哎哟!我的外套忘在候车室里了!"他边说边向候车室跑去。

"再会!琴恩!"泰山握着琴恩的手说,"愿你今后无限幸福!"他知道自己与琴恩已经没有结婚的可能了,只有这样祝福她。

琴恩也神情颓丧,低声回答说:"再会!希望你别把我放在心上,我……我可是忘记不了你的。"

泰山说:"你也不必如此伤心,我是永远不会忘记你的。只要你一生幸福,我也就心满意足了。请你代我向大家转达一声,我驾汽车到纽约去了。来不及向大家告别了,尤其是威廉·克莱顿先生,我对他并没有恶感,但总觉见了他心里很难过。今后我愿意孤独一人,以度余年。"

威廉·克莱顿到候车室去取外衣,忽然发现地板上有一封电报,他拾了起来,以为是哪位粗心的乘客遗失的。但是他一看电报内容,一下愣住了,忘记了自己是来取外套的。这时火车已到站了,他慌慌忙忙,手里只拿着电报,走出了候车室。他忽然觉得自己的身价、地位一落千丈,原先以为自己是英国的堂堂贵族,却一下子知道了自己是普普通通的平民。原来那电报就是得·阿诺打给泰山的贺电:

指纹验证,你确是格雷斯托克爵士。

得·阿诺敬贺

站台上同行的人正急切地催促威廉上车,他一时不知所措,赶忙奔了出去,到了月台上,车已徐徐开动,他在忙乱中一跃而上。上车坐定之后,才发现泰山没在车上,于是他问琴恩:"泰山坐在哪里?在另外一个车厢里吗?"

"不,几分钟之前,他改变了计划,到纽约去了。他要乘此机会,把美国的名胜、都市,都游览一番。不久,他要回法国去,你知道吗?"琴恩回答。

克莱顿没有马上说话,他忧心忡忡,在盘算着关于那封电报的事,他该怎样告诉琴恩?她听了之后,不知会作何感想?她还会嫁给他这个无身份、无地位、无财产的平民吗?他想,将来泰山会不会到英国去,得到他应受的继承权呢?但是泰山已经明白承认,人猿卡拉是他的母亲!难道他为了琴恩着想,情愿牺牲自己的一切吗?

除了这个原因,他再也想不出别的理由了。这时,他又萌发了新的希望,人猿泰山既然愿意牺牲他自己,又何必去揭穿他呢?泰山为了琴恩一生幸福,情愿牺牲自己,我成全他的美意,又何乐而不为呢?转念一想,假若泰山一旦反悔起来,改变了主意,那又怎么办呢?威廉·克莱顿思前想后,久久沉思不语。最后他拿定了主意,对于这件事,只装作不知道,得过且过,走一步算一步。

他们到了巴尔的摩城,几天以后,克莱顿要求琴恩早日举行婚礼。琴恩问他:"你为什么这样急着想结婚呢?"

"因为我想在近期回英国一次,而且想和你同去,亲爱的!"

"时间太匆促了,怎么可以这样毫无准备地就举行婚礼呢?至少要一个月之后。"她知道他急于回国,决不会在美国等一个月,想借此把婚期再延迟下去。谁知克莱顿偏不理解她的内心,絮絮叨叨地说:"那好吧!我把回国日期推迟一个月,我希望你和我一同去。"

时光很快,匆匆又是一个月,琴恩又找了个借口延迟婚期,威廉无法,只好闷闷不乐地独自回英国去了。

威廉到了英国,常写信给琴恩,希望她答应早日举行婚礼,但是,威廉的信写得虽多,却大多数如石沉大海,偶尔有一两封回信,也不明确表示态度。威廉没有别的办法可想,只有写信给波德教授,希望他带女儿来英国早日完婚。波德是喜欢威廉的,他既有财产,又有爵位,有这样一位乘龙快婿,是可以大大光耀门楣的。波德教授接了信,果然带着女儿到了伦敦,威廉为他们布置了一所十分漂亮的房子,住在一起的还有菲兰得先生和爱丝米兰达。威廉盛情招待他们。对于琴恩,他更是殷勤之极,但琴恩总是客客气气,婉词推托,始终也没答应马上结婚。

有一天晚上,琴恩温文有礼地找威廉谈话,告诉他自己下星期要离开伦敦。

原来琴恩在伦敦,仍和在巴尔的摩时一样,对结婚始终想推三阻四。恰巧有位泰宁顿先生邀请他们加入他的航海集团,准备乘他的机帆船环绕非洲海岸。琴恩一听,兴高采烈,非常赞成。于是她和威廉约定,待航海完毕返回伦敦之后再举行婚礼。这样一来,婚期又可以延迟一年左右,因为他们准备沿途游山玩水,会用去很多时间。威廉暗暗怨恨这位泰宁顿先生,想出这么个没意义的旅游,耽误别人的终身大事。但琴恩决心要去,他当然无法劝阻,只好跟着同去。

泰宁顿的行程计划是:穿过地中海,经红海,到印度洋,沿非洲的东岸走下去。每到一个海口,就泊住上岸去游玩。

他们启程以后,泰山所乘的那艘邮轮与这条机帆船在直布罗陀海峡不期而遇。那艘较小的机帆船修饰得极漂亮,漆成白色,很快地向东面行驶。甲板上坐着一个年轻女子,低头凝视着悬在她胸前的钻石锁片,眉峰紧锁,似有重重心事。她的心神,正系念着非洲荒野的丛林,一缕情思,牵着她过去的旧梦。

泰山乘的那艘大邮轮缓缓西行,甲板上坐着一对青年男女,正在闲谈着。他们就是泰山和海兹尔。

当那艘机帆船经过的时候,泰山和海兹尔都没意识到他们竟和琴恩近在咫尺,却失之交臂。泰山回头对海兹尔说:"是的,我很喜欢美国,当然也意味着喜欢美国人,因为一个国家是由她的人民组成的。我在那里曾认识几位让人喜欢的朋友,有一家还是小姐的贵同乡,就是波德教授和他的女儿琴恩小姐。小姐可知道他们吗?"

海兹尔惊叫起来:"琴恩?你也认识琴恩·波德吗?她是我最亲密的朋友,我们从小就在一起的,差不多是几百年的老友了。"

泰山笑了,说:"真的吗?我看你们俩的年龄,可无法相信你们的友谊会有百年之久了!"

海兹尔也笑着说:"我的意思自然不是说我们有了百岁高龄,只是形容我们友谊的深厚程度。我俩亲密得简直像亲生姐妹,不过我这次去,她快结婚了,我要失去她了。一想起这件事,心里真是很悲痛。"

"她要出嫁了,婚嫁也是常事,你何必这样悲痛呢?哦!我明白了,她结婚后要住在英国,你和她要分离了,是吗?"

"是的,这是原因之一。不过,这倒还在其次,最让人痛心的是,她要嫁的丈夫,并不是她所爱的人。我反对这样的婚姻。她虽然邀请了我去参加她的婚礼,我却老实不客气地谢绝了。我多次劝告过琴恩,不要做这种违心的事,这样自己要苦一辈子的。她却认为既已允婚,就不能轻易悔改,除非自己死了,或者威廉·克莱顿提出解除婚约,否则,悔婚的话是决难出口的。看样子,克莱顿决不会毁约,这段恶姻缘已经无法挽回了。美丽活泼的琴恩,将变成抑郁寡欢的琴恩,我所说的这个'失去',难道不是更可悲吗?"

泰山不觉深深地叹了口气,说:"波德小姐真是可怜!"

海兹尔说:"我觉得她心爱的那个人,也够可怜的,因为他俩才是真正有情的。我虽然没见过那个人,可是据琴恩告诉我,他是个高尚的、而且很了不起的人。他生长在非洲丛林,好像还是由人猿抚养长大的,在波德教授没到他海滩小屋之前,他还没见过文明社会的人类。但他为了这些素昧平生的人,竟能出生入死,多次救了他们每个人的性命。相处了一段,两人互相爱慕,逐渐培养起了很深厚的感情。我总觉得琴恩自己也有些莫名其妙,怎么能糊里糊涂地就答应了威廉·克莱顿的求婚呢?"

泰山的声调已变得很低沉了:"确实奇怪!"

泰山想把话题岔开,他希望海兹尔多谈些关于琴恩的事,却不愿她多谈到自己,幸而海兹尔的母亲来打断了他们的谈话,替泰山解了围。

那时海面平静,天气晴朗,邮轮行驶在蔚蓝的天空下,明亮的波浪上,船行已由向西转为向南了。泰山只要空闲的时候,总是和海兹尔母女谈天。他们在甲板上看书、运动,或用海兹尔的相机摄影。太阳下山以后,就在甲板上散步。

有一天,泰山看见一个生客在和海兹尔谈话,那生人一见泰山走过来,就向海兹尔鞠躬,准备走开。海兹尔却止住他说:"请等一下,瑟朗先生!我来给你介绍一下,这位是约翰·考德威尔先生,这位是瑟朗先生。我们能够同船,真是幸运,应该彼此认识一下。"

泰山就和瑟朗握了握手,泰山细看瑟朗的容貌,总有面熟之感,于是泰山说:"这位瑟朗先生好像很面熟,似乎在哪里见过似的?"

"约翰先生!不见得吧!面貌相像的人有的是,不是吗?"瑟朗有点慌张,支吾地说。幸而海兹尔小姐在旁边插话,缓解了瑟朗的紧张情绪。海兹尔说:"瑟朗先生正在这里和我谈航海珍闻呢!"

泰山也就随口敷衍几句,但他心里总止不住在想:这位瑟朗先生,自己以前一定见过,只是记不起什么时候,在什么地方。正巧在这时,海兹尔请瑟朗把椅子移近些,泰山发现瑟朗的手腕受过伤,动作很不自然,立刻就完全明白了,原来这家伙做过了整容手术。

瑟朗改换话题,想脱身走开,就向泰山道了声"再会",转身走了。泰山对海兹尔说:"斯特朗小姐!请你稍坐,我有点事要去一下,立刻就回来。"

泰山追上瑟朗,和他一起走,瑟朗显得十分局促不安。等到转了弯,海兹尔看不见他们了,泰山便停住脚,拍着瑟朗的肩膀说:"罗可夫!你来这里干什么?"

"我不是依了你的话,离开法国了吗?"罗可夫愤愤地回答。

泰山说:"不错,你离开法国了,可是你和我同乘一条船,我不相信这是偶然的巧合。况且,你又改了容,难道没有别的目的吗?"

罗可夫耸耸肩说:"笑话!我可不明白我又怎么惹了你,你想怎么对付我呢?这是一条挂着英国国旗的船,你能搭,我为什么不能搭呢?况且,你不也改名换姓了吗?"

"现在不跟你多说,不过我要警告你,斯特朗小姐是名门闺秀,以后,你决不能在她身上施什么诡计!"

罗可夫一下涨红了脸。泰山又继续说:"如果你不听我的话,我就把你丢到海里去!你记好了!今天我再饶过你一次。"

自从这次谈话之后,泰山有好几天再没见到罗可夫。原来罗可夫被泰山识破了伪装,气得要命,在船舱里和鲍勒维奇商量着,怎样从泰山那里把秘密文件抢回来或偷回来。他气狠狠地说:"要不是他身上带着秘密文件,我早想法把他丢进海里去了。哎!你为什么不到他舱里去搜一下?难道你翻箱倒柜的本领,都忘光了吗?"

鲍勒维奇很巧妙地回答:"你自己为什么不去搜一下呢?难道你的神通不如我吗?"

过了两个小时,鲍勒维奇看见泰山离开了他的房舱,而且没有锁门,这正是他们盼望的好机会。于是他马上叫来罗可夫,由罗可夫站在舱门外望风,鲍勒维奇进到舱里去,翻箱倒柜,搜查泰山的行李。他什么地方都翻到了,就是没找到那份文件。正在懊丧,他瞥见泰山一件外衣,挂在衣钩上,伸手到里面的袋里一摸,那份秘密军事文件果然在衣袋里,他心中大喜,如获至宝。在离开船舱之前,他把方才翻过的东西,一一归置得整整齐齐,和进门时一样。即使泰山回来了,也不会发觉有被盗的痕迹。

两个坏蛋立刻逃回自己舱里,鲍勒维奇把文件交给罗可夫,马上命令茶役拿香槟酒来,以示庆贺。罗可夫说:"没想到这样轻而易举,大功告成,咱们真应该举杯庆贺一下!"鲍勒维奇说:"今天真是运气好,本来这个文件,他总是随身带着的,几分钟前他正好换了外衣,忘记把这东西掏出来了,这才到了我们手里。不过,他事后一定会发觉失窃的,我想他会猜到是我们,因为他在船上已经认出你了。"

罗可夫冷笑着说:"随便他发觉是谁干的,只要过了今夜,就没事了。"

那晚斯特朗小姐和泰山告别回舱,泰山便一个人在甲板上,倚着栏杆眺望海景。这是他每晚的习惯,有时眺望海面,令他思绪自由飞翔,有时会呆呆地站上一两个小时。罗可夫早把他这种习惯看在眼里,现在文件已经到手,可以实行他早已筹划好的毒计了。

那天晚上,天气虽然晴朗,但是有星无月,船面一片黑暗,看不见人影。在离泰山较远的地方,已有两双眼睛,向他虎视眈眈了。这两个恶徒看看四围无人,便蹑手蹑脚轻轻走到泰山背后,此时舷外浪花拍船,轮船的发动机又隆隆震响,掩盖了这两个人的脚步声,所以泰山一点儿也没察觉。他俩走到泰山身后,蹲了下去,说时迟,那时快,一人抓住泰山一只脚,出其不意,迅如闪电,用尽了力气,举起泰山往栏杆外一抛,泰山只觉得自己身子凌空飞起,扑向大海,没有任何东西可以抓住,泰山就这样被抛入大西洋中去了。

斯特朗小姐正在舱内的窗口看夜景，忽然看见一个黑影从甲板上落到海里去了，但落下去的到底是不是人，她却没能看清。起初她以为是谁从船舷上失足落水，可是又没听见有呼救的声音，船上仍然寂静如常。她想也许是两个船员把一包垃圾丢进海里了，幸而自己没有大惊小怪，这样一想，便安然入睡了。

十三
"爱丽丝女士"号沉船

第二天早晨在餐室里,泰山没有来,斯特朗小姐有些诧异,因为考德威尔先生每天都是伴着她们母女俩一同用早餐的。后来她到甲板上去,也没见到考德威尔,瑟朗先生却走来和她闲谈。瑟朗今天有说有笑,显得特别和蔼可亲。海兹尔觉得他确是旅途中不可少的朋友。

午餐时,斯特朗小姐仍没见到考德威尔先生,她开始产生疑虑了。但她毕竟是大家闺秀,尽管心里忐忑不安,总觉得自己是年轻少女,与考德威尔又是萍水相逢,不便于出头去寻找、调查。但她总在想着他那诚恳直率的性格、蓬勃焕发的精神,总觉得在自己的朋友中,是难得少见的。

午后,瑟朗又来和海兹尔谈天,但她心里总念念不能忘考德威尔先生,特别联想到昨晚有一个黑影落到海里那件事,总觉得心里悬着一个疑问。于是她忍不住和瑟朗谈起,问他今天可曾看到过考德威尔先生,她说:"他今天早晨和中午都没来吃饭,我昨天见过他之后,到现在还没见他的影子。"

瑟朗想方设法安慰她说:"我和他不是很熟,所以不知道。不过,我看他是个上等人,不会有什么意外的,也许患了感冒,睡在舱里吧？"

海兹尔说："瑟朗先生的话自然有道理，但是，我们女人往往有一种奇特的预感，我似乎觉得考德威尔先生已不在船上了。"

瑟朗昂首大笑说："斯特朗小姐！你说他不在船上，那么他能在哪里呢？我们已经有多少天没见着陆地了。"

"我虽然有点神经过敏，可是我相信自己的感觉，他如果在船上，决不会闭门不出的。我们不妨差船役去问一问，就能知道考德威尔先生在哪里了。"说着，她准备去找管事。

"好的。"瑟朗说着，就叫了管事来。海兹尔吩咐他说："请你去告诉考德威尔先生，请他立刻来我们这里。"

"考德威尔先生是你很要好的朋友吗？"瑟朗问斯特朗小姐。

"不，我们和他也是在船上认识的，不过，我看他为人很不错，我母亲也很尊重他。像他这样的人是很容易得到信任的。"

一会儿工夫，管事回来了，说："考德威尔先生不在他的房舱里，我到处都找遍了，没见他。据说，他昨晚没有回舱去睡。我看这件事应该报告船长。"

海兹尔一听，十分焦急地说："要赶快，我跟你一同去见船长。一定是出了什么意外了，这是一件悲惨的事情。我的预感不是没有道理的。"她焦虑异常，陪着那个管事，匆匆奔进船长室，说明来意。她还补充了昨晚所见到的事。船长认真地听着，最后又问了她一遍："斯特朗小姐！昨晚你看见有人落水，是确实的吗？"

"我确实看见一个黑影落下去，但是不是人，我不敢确定，也没有听见呼救的声音。但是有东西落海了，这是毫无疑问的。从那以后，再没见过考德威尔先生，我自然会疑心昨晚所见的黑影，有可能是他。"

船长立刻下令寻找，从船头到船尾，一处不漏，并让海兹尔坐在船长室里等候消息。船长向她询问考德威尔先生的家世情况，她说，她和考德威尔只是在船上认识的，他的身世，自己并不太清楚。据考德威尔先生自己说过，他从小生长在非洲，后来在巴黎受了相当的教育，也到过美国，他说的话是英国音中带点法国口音。船长又问："那么，他可曾说起有什么仇人没有呢？"

"没有说起过。"海兹尔摇摇头说。

船长问："那么船上的乘客中，有没有他素来认识的朋友呢？"

"即使有朋友，也都和我一样，是上船之后才认识的。"

"斯特朗小姐！他平时爱喝酒吗？"

"我不知他平时爱不爱喝酒，但即使他平素爱喝酒，昨晚他和我们一起吃晚饭的时候，从开始到吃完，没用上半个小时，他没喝酒。我和他在甲板上分别之后没有多久，我就看见那个黑影掉下海去了。"

"这可奇怪极了！我看他身强体壮，不太会忽然晕倒。即使有什么病，一时晕过去，至多倒在甲板上，决不会跌到栏杆外面去。现在按常情分析起来，他若不在船上，斯特朗小姐！他一定被什么人摔到海里去了。昨晚你看见有东西掉下去的时候，天已完全黑了，又没听见一点点叫喊声，这一定是有人谋害他。也许他已被暗杀了，丢进海里，是毁尸灭迹，也说不定呢！"

海兹尔听船长这样说，吓得毛骨悚然。

大约一小时之后,大副布伦特雷搜查完毕,回来报告说:"考德威尔先生确实不在船上了。"

船长说:"我看这件事不会是无缘无故的,一定还有其他隐情。布伦特雷!还是请你亲自去把考德威尔先生的行李仔细检查一遍,看有什么线索,才好判断他是自杀的,还是被人谋杀的。"

"是!先生!"布伦特雷答应着,马上去检查泰山的行李了。

海兹尔又惊吓又焦急,竟昏了过去。后来,她在舱里足足静养了两天,每当她闭起眼睛时,总好像看见一个黑影从上面掉下海去,她心神非常不宁。到了第三天,她才勉强起身,上甲板呼吸点新鲜空气。瑟朗跟她一见面就尽力安慰她:"这件事真是个疑案,斯特朗小姐!这两天我心里也很不安呢!"

海兹尔说:"我觉得自己也有责任,为什么不当时报告船长呢?若那样,也许还有一线希望。"

瑟朗说:"这并不是你的过失,你没有必要难过。我想无论是谁,处在你当时的境地,一定也和你的想法一样,决不会想到落水的是人。即使你当时报告了船长,但你没有足够的证据,也难以说服大家,人家也许会说你神经过敏。等到你说明白了,停船设法救人,和落水处已相隔了好远。海水又是这样澎湃汹涌,放下救生船去也不容易救到吧?作为朋友,你对这位考德威尔先生应该说已经尽到责任了,你没有必要再自责。如果不是你发现他失踪,恐怕直到现在还没有人会发觉呢!"

海兹尔听了他宽慰自己的话,心里很感激,于是从此之后,瑟朗时常和她在一起谈天。他从她的闲谈中探听出,这位美丽的海兹尔·斯特朗小姐原来是美国巴尔的摩城中的首富,家资巨万,都在她母女俩手中。斯特朗小姐还没有意中人,如果谁被她选中了,不但艳福不浅,而且还能承袭一笔可观的财产,这真是难得的好机会。罗可夫此时又产生了邪念,居然异想天开起来。

文件到手之后,泰山的事又已了结,罗可夫本想在船停泊的第一个口岸就上岸的,准备立刻赶回欧洲,连夜把秘密文件送到圣彼得堡去。然而,现在有了这个意外的好机会,岂可错失良机呢?于是他改变计划,日日追随在这母女俩身边,使出浑身解数,想要把美妻与巨产都弄到手,来个一箭双雕。他想,如能遂心所愿,够自己受用一辈子的了,也可以叫圣彼得堡的人开开眼,看我罗可夫是个怎样有本事的人。他越想越美,几乎飘飘然起来了。在他看来,这送上门来的天鹅岂能让她飞掉?

船到了开普敦,瑟朗告诉海兹尔说,他有些事情要办,需要在开普敦停留些时间。他是有意做此安排的,因为这是他实现邪恶计划的第一步。

海兹尔在船上闲谈时,就曾对瑟朗说过,她们要到开普敦去探望她的舅父,可能在那里要留一个月光景。现在海兹尔听瑟朗说,他也要到开普敦去,非常高兴,因此对瑟朗说:"我希望上岸之后我们仍能常常见面,你一定要来啊!"

瑟朗求之不得,满口答应。倒是海兹尔的母亲——斯特朗夫人,不大愿意女儿与瑟朗往来。有一天她对海兹尔说:"不知道为什么,我对瑟朗没有好感。他表面虽是上等人的样子,但他的眼睛里常流露出一种阴险的光芒,所以我觉得对这个人要有点防范。"

海兹尔却不以为然地说:"你未免太多疑了,妈妈!"

"但愿是我的错觉,不过我常这样想:假如他是考德威尔先生,我就放心多了。"

"妈妈!我也这样想。"

海兹尔母女到了开普敦之后便一直住在舅舅家。于是瑟朗也常到海兹尔的舅舅家来。他拼命奉承海兹尔,不断献殷勤、陪笑脸,一切看海兹尔的眼色行事。而且,又惯会在她母亲、舅舅以及表弟妹等人面前讨好。日子久了,海兹尔舅舅一家上上下下,都称赞瑟朗的优点。过了些时候,瑟朗自以为时机已经成熟了,便开口向海兹尔求婚。哪知海兹尔毫无思想准备,听到求婚,吓了一大跳,一时竟想不出什么话来回答。停了好半天她才说:"我从来没想到你有这个意思,我一向只当你是一个谈得来的朋友,丝毫没觉得我们之间有爱情。我不能答复你求婚的问题,我想,我们还是保持朋友关系好。也许将来日子久了,我对你有了比朋友更进一步的感情,到那时再说为好。总之,现在我对你还远远谈不上爱情,请你原谅!"

瑟朗听了她的答复,反觉很满意,因为到底没有说绝对不行的话,他当即装作彬彬有礼的样子道了歉,说:"我自从初次见到你之后,不禁从内心生出爱慕之情,我能等你,无论等多久,等到你也爱我的一天。但是请你告诉我,你是不是另有意中人?"

"我生平没爱过什么人。"她这样回答,瑟朗一听,心满意足。

第二天,海兹尔意外惊喜地邂逅了她平生最要好的朋友——琴恩。她到市上去买东西,偶然一转头,突然看见了琴恩正从一家珠宝店里出来。海兹尔喜出望外,不觉高叫起来:"啊!琴恩!你怎么也在这里?真是天涯何处不相逢!在这里遇到你,我是连做梦也想不到的!"

"啊!真有这么巧的事!"琴恩见了海兹尔也同样又惊又喜,"我也想不到会在这里遇见你,我以为你仍在巴尔的摩城过你的快乐日子呢!"琴恩紧拉着她女友的手臂,亲亲热热地交谈起来,各自诉说着离别之后的情况。海兹尔听了琴恩的叙述之后,才知道琴恩坐了泰宁顿的游艇出来航行,因而到了开普敦,准备在这里玩一个星期,然后再动身,沿非洲西海岸北上回英国去,和威廉·克莱顿结婚。海兹尔听了,觉得有点奇怪,就问:"怎么?你们还没结婚吗?"

"还没有。"琴恩带着怅惘的神情说,"可恨英国离这里,没有一万英里路呀!"

海兹尔应了琴恩的邀请,到游艇上去拜望他们,自然又有一番热闹的款待。海兹尔也约琴恩和船上那些人到岸上去,殷勤酬酢。在一切宴会中,哪一次也没少了瑟朗。他又探出了泰宁顿是英国贵族,于是,又格外殷勤。没有多少时间,瑟朗和泰宁顿已经成为非常要好的朋友了,常到他们游艇上去玩。有一次,他竟得意洋洋,暗中告诉泰宁顿,他和斯特朗小姐已经有了密约,一到美国,就宣布订婚,目前,还请泰宁顿代他暂为保守秘密。

泰宁顿听了,很高兴地说:"当然,请放心好了!我一定守口如瓶。我预祝你们幸福!你的眼光真不错呢!"

到了第二天,海兹尔母女俩和瑟朗一同到泰宁顿的游艇上去。斯特朗夫人流露出了很喜欢开普敦这个地方,认为住在这里,风景宜人,会十分快乐的。可惜不能久住,因为她已收到巴尔的摩城律师的来信,有些事情非要回去处理不可。泰宁顿随口问道:"你们打算什么时候动身呢?"

"准备下个星期。"

瑟朗马上接口说:"真的吗?那我太高兴了!因为我也要回去了。这一次我们又可以同行,一路上我还可以侍候夫人,岂不很好!"

"那真好极了!有你同行,我们求之不得。我们不但不会寂寞,而且可以放心不少。"斯特朗夫人嘴里虽然这样说,但是她心里却非常讨厌有他同行。至于究竟为什么,她自己也说不出所以然来。

过了一会儿,泰宁顿冷不防地高声大叫起来:"妙极了!真是了不得的妙想!"大家都一愣,不知道他所说的妙想是什么。

威廉·克莱顿在一旁冷笑着说:"当然!你的想法哪有不妙的呢!你是不是在想取道南极,到中国游历?"

"哎!克莱顿!你何必这样取笑人?难道就因为这次航行不是你主动倡议的,你心里老不舒服,就老是反对我吗?你的嫉妒心也太强了!现在又这样冷嘲热讽,不等人家讲完,就打断人家的话。告诉你吧!我是在想:请斯特朗夫人、斯特朗小姐和瑟朗先生,也加入我们的游览集团,然后一同回到英国去,这个想法难道不妙吗?"

"请原谅我!朋友!"克莱顿笑着说,"真是好主意!我没想到你有这样的想法,这真是你的独出心裁!我刚才说的是玩笑话,请别生气!"

泰宁顿转向斯特朗夫人说:"我们定在下星期一动身,如果斯特朗夫人要改期,也能从命!"

斯特朗夫人说：“泰宁顿先生！多谢你的好意，但怎好叨扰你呢？况且，我们的行期也没最后定下来。”

到了下一个星期，海兹尔母女俩果然和他们一起动身了，自然，还有瑟朗。船开出了开普敦两天以后，有一次琴恩和海兹尔在房间里闲谈，海兹尔把离开美国后一路上所拍的照片拿给琴恩看，并且一张张详细讲解给她听，琴恩听得很有兴味。海兹尔忽然按住了一张照片说：“这里有一个是你的朋友，你还记得他吗？我久已想问你了，想知道他的身世，可是总没有机会提起。”海兹尔一面说，一面拣出那人的照片来，递给琴恩。还没等琴恩把那人的面孔看清楚，海兹尔又接着说：“他的名字叫约翰·考德威尔，你记得吗？他说是在美国认识你的，他自己是英国人。”

琴恩回答说：“我可不记得我的朋友中有这个名字，让我再仔细看看照片。”

海兹尔把几张这个人的照片都找到一起给琴恩看，说：“可惜这位可怜的朋友，已经掉在海里淹死了。”

琴恩看了照片，声音竟有些颤抖了：“死了吗？海兹尔！他真的会死？真的掉到海里去了？你不是在开玩笑，故意吓我吧？”琴恩看着照片，大惊失色，心里一阵刺痛，支撑不住，倒在地上晕了过去。

海兹尔也大吃一惊，竟一时不知所措了，赶忙把她扶起来坐着，摇着琴恩说："琴恩！我真不知道你和考德威尔先生交情这么深，你一听到他不幸的消息，竟这样悲伤！"

"啊！海兹尔！我不相信他是……"琴恩哽咽着说，"我不相信他是什么考德威尔，在这个世界上我决不会把他认错，我心坎里深印着他的影子,此生此世,我决不会忘记他!"

海兹尔感到莫名其妙,便问:"你想他是谁?"

"我不用想,海兹尔!你知道,他就是人猿泰山!"

"难道真的是他吗?"

"我决不会认错的,海兹尔!你知道他确实死了吗?你没有弄错吗?"

海兹尔心情哀戚地说:"是的,真的死了!我确信不疑。我原先还真当他是伦敦的约翰·考德威尔,现在细想起来,我也相信他就是你说的人猿泰山,他讲话的口音,是法国音里夹着非洲音。"

"是,这就更不会错了。"琴恩低声说。她心里已经悲痛万分。

海兹尔又把船上大副检查考德威尔行李的结果告诉了琴恩:"大副去检查他的行李,并没有发现他叫考德威尔的证据。他所有的每件东西,都是地道的巴黎产品。那些箱子和上衣领上,都是单个'T'字的记号,或者是'J. C. T'三个字母。我们只以为'J. C'也许就是约翰·考德威尔的缩写。"

琴恩凄然地回答说:"人猿泰山的名字就是 J. C. Tarzan。唉!他真的葬身海底,真让人心都碎了,可怜丛林里的百兽之王,竟死在大海里。像他这样什么都不怕的人,竟会死得这样惨,真让人……"琴恩说到这里,悲痛难禁,竟失声痛哭,不能自已。

从此之后,琴恩就病倒了,除了海兹尔和爱丝米兰达之外,谢绝一切人来探望。后来她勉强起来到甲板上散散步,精神仍然颓丧,面容憔悴,完全失去了离开美国时那样的快乐活泼。谁见了她这种突变,都觉得莫名其妙,只有海兹尔知道原委。琴恩老是坐在椅子上发愣,如痴如醉,有时偶尔对泰宁顿微笑一下,那笑容也是凄然的。她整日只是呆呆地坐着,望着海面出神,好像心里有说不出的万种悲哀。

当琴恩病倒的时候,游艇上也连续发生了几件不幸的事件:第一是机器坏了,船走不了,只好停下来修理两天;接着遇到一场飓风,把甲板上的东西一扫而空,都卷进了海里;过后又有两个水手打架,一个受了重伤,奄奄待毙,另一个戴上了手铐脚镣;后来还有一件惨事:一天晚上,一个舵手失足掉进海里,起初谁也没发现,直到游艇行驶了十个小时之后,才发觉那人不在甲板上,已掉进大海不知去向了。每个人看着这一连串事件,都觉得太不顺利了,感到真是福无双至,祸不单行。加上水手们又非常迷信,疑神疑鬼,大家纷纷议论,认为一定在开船动身之前犯了凶煞,所以不幸事件纷至沓来,闹得人心惶惶,每个人都有了厄运将要降临的惶恐。

正当大家怨声四起的时候,也就是舵手落水的第二天晚上,游艇突然剧烈震动起来,船头和船尾都在摇动,好像就要翻船的样子,到夜里一点钟,船颠簸的程度更厉害了,大家更加惊慌。机器已经停止,船身尽向右侧倾斜,看样子确实要遭到危险了。船上的男男女女都奔上了甲板,那晚天空布满了阴云,幸而海面风浪并不大。在船头的右边,有一团黑影,浮在水面上,一个巡夜的二副对大家说:"这是一只破船的外壳。"轮机长也到甲板上来了,向船长报告:"发动机的活塞完全损坏了,目前无法修理了。"

大家一听,都目瞪口呆,又有一个水手从下面上来报告说:"不得了!船底上已有了一个大洞,大约到不了二十分钟就要沉没了!"

泰宁顿怒叱道："不要多说了！夫人小姐们快到舱里去收拾行李，准备到小船上去，以防不测。请立刻去动手吧！照现在情形看，还不至于无计可施，请船长快派人到下面去，仔细检查一下船底损坏的程度，究竟如何，同时把小船放下，以备万一。"

大家看泰宁顿指挥若定，非常镇静，调度得井井有条，于是大家就镇静下来，各人分头干各人的事去了。这时四只小船已准备好，女士们仍回到甲板上来打听消息。检查船底的人回来报告说，船底的洞很大，可以钻过一头牛，已无法修补。恐怕十分钟内，这条"爱丽丝女士"号游艇即将沉没了。

果然，五分钟后，船尾凌空翘了起来，他们就放了四只救生小船下水，大家都从游艇上爬到小船里去。琴恩最后离开游艇，回过头望了一眼，突然一声巨响，露出水面的船梢，越缩越短，最后终于沉没下去了。泰宁顿回首望去，不觉泪下，倒不是因为金钱的损失，而是他倾注了许多心血的美丽的游艇，沉入海底，像一个朋友和他永别了一样。

天色渐明，东方露出了太阳，照在水面上。琴恩由于太累了，已经入睡了，强烈阳光的照射使她醒了过来，茫然四顾，自己小船上只有三个水手，还有威廉·克莱顿和瑟朗。她还想找到其他的小船，但极目海天，云水茫茫，任何一叶小船都不见了。只有他们这一只小船孤独地飘流在大西洋上。

十四
重返原始故居

泰山自从被丢下大西洋,他的第一个念头就是拼命游泳,远离船身,因为他知道船后的螺旋桨力量很大,如果碰上必死无疑。他边在海水里游着,边思索推他下水的仇人一定是罗可夫。想不到自己这样轻易地中了他的奸计,心里不免又懊丧又恼怒。这时他在水中,望着船上的灯光,越来越远了,他不想呼救。在他二十多年的生命中,还没有向谁求救过,只知道凭自己的体力和智力避开危险,谋求生存。等船去远了,泰山开始冷静地思考:这样在水里游,不知要游多少时候才能到岸边,也不知道什么时候才能遇到一条轮船。这样旷日持久地在水里,体力是支持不了的。较好的办法是用最节约体力的姿势,按照北极星指引的方向,努力向东游去,或许侥幸能游到岸边。下了这个决心之后,他在水中脱去了皮鞋,正要脱衣服,忽然想起了衣袋里用薄皮夹夹着的文件,伸手到袋里去摸,空空如也,什么也没有了。这时他才彻底明白,罗可夫把文件偷到手后才扔他下海的,泰山非常气愤,索性脱掉衣裤,丢在大西洋里。

他耐心地向前游去。天将黎明的时候,他发现前面水面上浮着一团黑影,起初以为是什么动物,游到跟前一看,原来是一只破船的底。泰山把它翻转过来,爬了进去,坐在里面,边休息边等天亮。他现在已是十分疲倦,加之又饿又渴,全身简直没了力气。那时风平浪静,海面无波。泰山已游了将近十二个小时,进入这个破船底,很容易就入睡了。

太阳升起之后,强烈的阳光晒在泰山身上。他睁开眼来,第一个感觉就是口渴难熬。但是,马上又有两个新的发现吸引了他的注意:第一个是破船底旁边还有另一个黑影,仔细一看,原来是一只十分破旧的救生艇;第二是东方海平线上,已露出了陆地的影子。泰山立刻跳下水去,以便够到那只救生艇。早晨的海水清凉彻骨,使泰山精神为之一振。他用力把那只救生艇翻转过来,仔细察看,倒还十分完整。泰山又找了两块破木片当桨用,奋力向东方划去。

到了下午很晚的时候,他可以清楚地看到陆地上的一切了,或者可以说他已经能从这里看清海岸线的高低深浅了。在他面前,出现了一个由陆地环绕的小港湾,向北延伸而去的树林,这些景色竟是那样出奇地让他觉得眼熟!难道命运真的那么凑巧,竟把他交到了他最爱的丛林大门口了吗?当小船的船头进入了海湾的入口处时,他心里的最后一点疑云也被扫清了。因为在他眼前,海岸上,一大片原始森林的树荫下,正矗立着他自己的那间小屋。一点没错,就是它!是在他出生前,由他已故的父亲——约翰·克莱顿·格雷斯托克勋爵亲手建造起来的!

泰山使出了全身力气,拼命地划着桨,小船如飞地向岸边冲去。当他的船头还没有搁到岸边时,泰山已经急不可待地一跳就踏上了岸。当泰山用他激动得泪眼模糊的目光,巡视岸上每一件那样亲切而又熟悉的事物时——小屋、海岸、小小的潺潺溪流、茂密的丛林、黑暗得透不过阳光的大树丛,都让他心跳不已,他觉得无比欢欣、狂喜过望。这时由于他心情特别好,周围的一切,似乎无一不是欢悦而美丽的:千百只吱吱喳喳的小鸟,向泰山展示着它们华美的羽毛,像是欢迎故人归来。从大树王的枝条上,垂下来的一串串各种藤蔓植物的旁边,开着五彩缤纷的热带花卉,争奇斗艳,盛开怒放,它们共同组成了一道道迎宾的帷幕,又像是展开的母亲的胸怀,要热烈拥抱归来的爱子。这时的泰山,身上虽然带着昼夜挣扎了十几个小时的疲劳,带着半日来阳光的暴晒,带着海风的腥味和没有完全被吹干的湿润的皮肤,带着满脸因重返故乡而激动得无法自制的泪水,扑向对他来说曾是那样熟悉、那样亲切的大自然母亲的怀抱,就像小时在暴风雨中躲向卡拉的胸怀一样。这片故乡林莽,曾多少次闯入他的梦境,今天竟意外地、真真切切地都在自己眼前了。

现在,人猿泰山又回到他那完全的自我了。他昂起了那颗年轻的头,发出了一声他那一族所特有的尖厉而粗野的吼叫,在这一片故土上,谁都知道这声音。有一小会儿,整个丛林都沉寂着,接着,就回应般地传来了几声低沉的、怪异的吼叫,噢!那低沉的咆哮是雄狮的声音。又从远处传来了几声可怕的尖啸,大概是一只公猿的声音。

泰山首先就向那条小溪走去,以消解他火烧般的干渴。然后就走向小屋去,小屋门关着,而且插上了插销,就像他和得·阿诺离去时一样。泰山拔开插销,开门走了进去。一切都没有被移动过的痕迹,啊!这里是桌子、床,还有他父亲制造的摇篮。架子和柜子也仍然站在那里，经过了二十三年的岁月，却好像父母刚刚离去一两年一样。他的眼睛贪婪而热切地看着这一切，感到无限的满足和惬意。但这时他的肚子却咕咕叫了起来，饥饿在提醒他的注意了，他急需吃点东西了。

可是小屋内一点食物也没有，他只有到外面去找。可是，此时的泰山手无寸铁，小屋里一件武器都没有，只有墙上挂着的一条旧绳。这绳子是很久以前用剩下的，为了接在一起已经打过好几次结。现在既找不到别的武器，就只好暂时用它来找点食物充饥了。于是他把旧绳拿下来，拣其中没有霉烂的取下一大段，搭在肩上，跑了出去。他关上小屋的门，跳进丛林里，他又恢复了旧日人猿泰山的样子。最初他在地上寻找野兽的足迹，后来又跳到树上去，从这株跳到那株，觉得海阔天空，十分自由自在。他想，还是永远住在这里好，再别到什么文明社会里去了，受尽种种约束。人际之间那种尔虞我诈，也真令人厌烦，他何必丢开这大自然中的福地去自寻烦恼呢？是的，除开非洲丛林，难道还有别的世外桃源吗？

天色将黑，泰山到了一条小河边，这是丛林中野兽常来喝水的地方。靠近河边有一处，树木稀疏，草叶披离，很明显，这是野兽常停留的地方。夜间一定有狮子、猩猩在近处埋伏，守候小羚羊、牡鹿来喝水的时候，出其不意取来为食。也许会有野猪来饮水，泰山认为这是猎取野兽最好的地方。

他在树上选了一个低矮的树杈坐下，等了约有一个小时，天完全黑了。他听到在不远的林中，有野兽的脚步声，听得出是个庞然大物。泰山断定这是狮子，听它渐渐走近了，泰山笑了。

泰山又听见另一只野兽走到水边了,仔细一看,正是一只野猪。野猪的肉,滋味最美,泰山饿了许久,几乎吞着唾液了。同时那只狮子也馋涎欲滴,在那里等着。野猪走过泰山的下面,再过去几步,就是狮子藏着的地方了。泰山早已准备好了,把绳套拿在手里,向下一抛,套住了野猪的颈项,立刻被泰山拉了过来。野猪狂叫着,想挣脱身子。那狮子看见就要到口的食物,忽然狂叫着向后退,还没明白是怎么回事,只见那野猪向树上"飞"了上去,狮子立刻跳出来追逐,可是已经来不及了,只见那野猪不断向树上升去,已经可望不可及了。泰山向下望了望,对着狮子哈哈大笑。

狮子又饿又恼,怒不可遏。它想报复泰山,立起身来,举起前爪,踏在树干上,用力抓着树身,把树皮一块块地抓了下来。坐在树上的泰山,却把野猪拖到身旁,用手指掐住了野猪的喉咙,结束了它的性命。这时泰山手里没有刀,只能用牙齿咬破野猪皮,把它撕开、剥去,捧起鲜肉大嚼。狮子在下面望着,看着自己快要入口的晚餐,却眼睁睁看着别人大嚼特嚼,气得在树下转来转去,无计可施。

泰山吞吃着野猪的鲜肉,觉得味道很好,他想起文明人吃的熟食,毫无鲜味,远比饥饿中生吃野猪肉逊色多了。

泰山吃饱后,抓一把树叶,擦净了两手上的鲜血,把吃剩的野猪肉扛在肩上,预备回小屋去。泰山却一点儿也不知道,与此同时,琴恩和威廉·克莱顿正在印度洋上一艘名叫"爱丽丝女士"号的机帆船上,吃着美味可口的晚餐,已经酒尽肴空了。

狮子看见泰山在树上跳着,肩扛着野猪肉,它也不肯放松,在下面紧跟着走。泰山在树上,也紧紧盯住它,狮子虽然脚步很轻,也不吼叫,可是泰山灵敏的听觉,还是能听到狮子的走路声。泰山怕狮子跟他到小屋,守在小屋门口,逼得他不能下树,那就糟了。不如选一个树杈,今晚就住在树上。他找了些巨枝绿叶,在树上做了个临时床铺。他虽然从小养成了睡在树上的习惯,但现在的他已经睡过床了,树上总不如床上舒服,不过有狮子在下面,只好将就。最后,狮子等得乏味了,知道没有希望了,只得怒吼几声,转身去找别的食物了。泰山独自安安稳稳地来到小屋,几分钟之后,他就躺在有霉点的旧草床上了。

泰山一觉醒来已是第二天的中午。因为这一昼夜他一直在海上漂流,不曾好好睡过,自然觉得过分疲乏了。他醒来之后,第一件事就是急急奔到小溪处去喝水。然后他再走到海边去,跳进海里,洗了一个海水澡;再慢慢踱回小屋,撕着吃掉野猪肉,吃了一个大饱。他又把剩余的野猪肉埋在小屋门外的沙地里,预备晚上回来再吃。

泰山收拾停当,拿了绳子,又窜到森林里去。这次,他的目标不是野兽而是人类,因为他需要武器,武器只有从人类那儿才能取得,因此他想到了孟格村的黑人。记得上次在法国舰上,由于得·阿诺的被掳,法国士兵们对那些黑人进行过一次大屠杀,只剩下了女人和小孩。不知道孟格村里现在还有没有遗留下来的黑人?泰山心想且到那里去看一看再说。

泰山匆匆忙忙地赶到孟格村时已是下午,他一看遗址,非常失望,那里荆棘丛生,一间房屋也没有,更不用说找到人影了。泰山愣着想了一阵,只好在地上各处搜寻着,希望万一有被他们遗

黑人也走到狮子身旁，见狮子确实死了。

弃下来的武器。他认真找了一阵，结果一无所得，非常沮丧。于是他拿着仅有的那条绳子，顺着河流，向东南方向走去，因为他知道半开化的人类，一定是傍水而居的。

泰山在路上，一边走一边寻东西吃。他或者摸到鸟窝，吃鸟蛋；或者拔植物，吃它的根；或者捉虫捉老鼠。这时候，他过的完全是猿猴生活了。这个人猿卡拉的儿子，几乎完全恢复了卡拉教过他的二十多年的生活方法，什么东西都吃。如果现在有人看见他，一定不会相信，眼前这个泰山前不久还坐在巴黎的宴席上，彬彬有礼地与人相处呢！几天时间里，前后真是判若两人。

这个晚上，他没有回小屋去，仍然睡在树上，那树很高，枝叶浓密。泰山感到饥饿时，又用绳套捕到了一只鹿。

第二天早晨，他仍沿着河流往前走，走了三天，还没见到人类的踪影。但这条路以前他没走过，路边的景物也不同，一路上山高水深，倒也另有一番乐趣，使他忘记了旅途疲劳。他心里想，在这样的山光水色中走下去也不错，一定要找到武器，不达目的誓不罢休。

到了第四天早晨，泰山那灵敏的鼻子，忽然嗅到一种新鲜的味道，他知道这是人类的气味，不过距离很远。泰山立刻兴高采烈地跳上树向前追去。凭嗅觉他感到已经追近了，先拨开树叶探望一下。他瞥见前面有一个大汉，独自在那里走着。他正想丢绳套下去，套住他的脖子，再夺他的武器。但他忽然转念一想，文明人才会为了一点私利找个借口互相残杀，我现在只想要他的武器，并不想伤他的性命，何必无缘无故要弄死他呢？由于他生了这一点不忍之心，使得他思考了半天，想怎样才能既不伤害他的性命，又能得到他的武器呢？因此他有些犹豫不决。正当他处在这种思考与犹豫之中时，不觉已走到了丛林尽头。林外是一片平地，对面的茅屋密如蜂房，已经到了蛮村了。

　　泰山正在仔细观察，忽然从林间跳出一只狮子，一下扑到那黑人的背后，眼看着就要扑到黑人身上了，泰山知道那黑人的性命悬于一发，刻不容缓了。这时，同类的爱心很自然地从泰山心里迸发出来，泰山长啸一声，把狮子引向自己的方向，黑人也在这时看见了狮子，泰山把绳套抛出，正套住了狮子的脖子。

　　泰山虽然套住了狮子，但仓促之间自己却从树上跌下来了。不知是绳套打得不牢，还是狮子的身体过重，绳子经不住拉扯。这时，狮子看到有人从树上掉下来，怒火一下爆发出来，直扑泰山。黑人逃脱了危险，而这时泰山却危险万分了。他没有武器，赤手空拳，与怒狮相搏，是绝难取胜的。黑人知道这个就要被狮子吃掉的人，就是自己的救命恩人，便敏捷地举起长矛，对准狮子抛去，正好刺进狮身。狮子负痛又向黑人扑来。它还没走几步，泰山的绳子又收紧了，把狮子牵住。黑人乘此机会，抽出毒箭，射中狮背，狮子因疼痛又停了步。泰山趁这时把绳子的一端拴在树上。但是泰山还不放心，因为据他以前的经验，恐怕草绳经不住狮子的抓咬会被弄断，还是应该先下手为强，趁早结果了它的性命为上。泰山立刻奔到黑人跟前，从黑人的刀鞘里抽出一把长刀，他拿着刀，同时指挥黑人放毒箭，自己腾身跳到狮子背后，又敏捷地跳到狮子左肩后，左手抓住狮子的头，右手举起刀来，刺进狮子胸膛，狮子吼了一声，倒在地上，抽搐了几下，就不动了。

　　泰山站起身时，黑人也走到狮子身旁。见狮子确实死了，黑人的嘴里咕噜咕噜地说着什么，似乎是在道谢。黑人又做着手势，看得出来是在表示敬意，愿意交个朋友的意思，泰山也点头微笑，表示同意。

十五
从人猿到土人

狮子已经死了,泰山和那黑人经过一场危难结成了好朋友。泰山跟着黑人一同往蛮村走,一路上两个人用手势交谈,谈得很高兴。接近蛮村时,拥出了许多女人和小孩,七嘴八舌,热烈地向他们问这问那。这些男女老少听那黑大汉述说泰山怎样杀死狮子,拯救了他的性命,对泰山都肃然起敬,惊为天人。

他们争先恐后,邀请泰山到他们村里去,陆陆续续送了许多礼物来,有家禽、山羊、熟食,表示他们诚挚的谢意和热忱。泰山用手势告诉他们,这些他都不想要,他指指他们手里,表示自己想要的是他们的武器。黑人们明白了他的意思之后,立刻把许多长矛、盾牌、弓、毒箭,在他面前放了一大堆。和他一同回来的那个黑人,也把那柄杀狮子的长刀赠给了他。此时的泰山,只要开口,村里凡是能拿得出的东西,没有不情愿送给他的。泰山看他们热情、诚恳,心里暗想,这些土人倒还懂得情义,当初自己幸而没有杀掉那个黑人,如果鲁莽动手,不但得不到这种热情欢迎,也许还会结下仇怨。泰山不由得又想起了罗可夫,若拿他和这些黑人做比较,他的心地不但远不及这些土人,反而连自己的亲妹妹都下毒手,真是禽兽不如。假如泰山知道,此时的罗可夫心里装着卑鄙的阴谋,正和海兹尔小姐甜言蜜语,他不知会恼怒到什么程度呢!

原来这个蛮村的人,叫作瓦齐里人,他们的酋长就叫瓦齐里。就在这天晚上,瓦齐里族人为泰山特意开了一个盛大的欢迎会。在宴会上,有猎来的羚羊、斑马、各式精美的野味,以及自制的麦酒。大家围着一堆篝火坐着,狂呼畅饮到半醉,引吭高歌,乘兴起舞。泰山仔细打量这些土人的面貌,都还端正,不像非洲西海岸那些狰狞的土人。这里的人,男的魁梧健壮,豪放爽直,女的眉清目秀,天真活泼,别是一番韵味,与他们相处非常快乐。

当他们手拉手跳舞的时候,泰山看见有几个男女的手腕和脚腕上都佩戴着金饰,像文明人的手镯和脚链一样。泰山感到非常奇怪,就向身边的一个人示意,要他摘下来看一看,那人马上把手镯脱下来,送给泰山做礼物。泰山接过来仔细地看了看,果然是真正的黄金,心里暗暗惊奇。他想,这些人住在荒僻的非洲,哪里来的这么多金子呢?从前他看见过临近海岸的土人,身上偶尔有金的装饰品,那都是从欧洲人手里得来的。而这里的人也有,居然还这么多。泰山就觉得诧异了,想要知道来由,向他们询问了许多话,但由于语言不通,光靠手势,表达很困难,始终没能弄明白原委。

跳完了舞,泰山做着手势,表示要走了。黑人们却领他到一间最大的茅舍里去,请他在里面过夜。泰山想告诉他们,明天早晨再来,他们却怎么也弄不明白泰山的意思。最后泰山觉得没有办法说清楚,只好丢下他们不管,独自离开村庄,奔到丛林中去了。那些黑人目送着他,感到莫名其妙。泰山为什么不愿意住在茅屋里呢?原来他从前有过经验,大凡住在土人的村落里,夜间常有蛇虫毒物出来伤人,加之低矮的茅舍里空气污浊,让人感到气闷,还不如住在丛林里舒服。

那些黑人舍不得他走,追了出来,寻找泰山。哪知泰山早已跳上大树,很快就隐身在浓密的枝叶里,不见踪影了。他们更觉得这位白种客人不可思议,高声叫喊了半个钟头,希望泰山和他们一块儿回去,但是叫了半天,一点回音也没有,他们没有办法,只得各自回茅舍睡觉去了。

泰山还是觉得露天睡觉又安全又舒服,一夜甜睡,直到天明。

第二天早晨,泰山又回到蛮村。分别了一夜,大家见了他更加亲热,欢迎这位晚上走早晨来的怪客。从此泰山就和他们一起打猎,他们见这位白人运用他们的各种武器,技巧非常高,甚至比他们瓦齐里族人还要娴熟,简直佩服得五体投地。

泰山在蛮村生活,不觉已过了一个星期,猎来的斑马、羚羊、水牛都做了食物,如果得到大象,就取下它的牙藏好。不久,泰山对他们的语言、风俗也知道了许多,明白这些黑人不是吃人的蛮族,相反,他们认为吃人是一种罪过。泰山从狮子口里救出的那个黑人名叫比苏里,他把他们一族的历史也告诉了泰山。以前,他们居住在遥远的南边,迁居的原因是因为遇到了杀人越货的土匪。他们当时也曾抵抗过,可是敌人的武器厉害,他们的长矛、弓箭抵挡不住,因而大败,部族从此再没有以前那样兴旺。比苏里接着说:"入侵的那些土匪,他们的目的是象牙。他们穷凶极恶,见了男子就杀,见了女人就掳。我们抵抗了好几年,就因为我们武士的弓箭敌不过他们的火器,结果节节败退。我还记得,那时候我父亲还是个年轻人,当那帮阿拉伯土匪第二次来偷袭的时候,幸亏我们的武士发觉得早,当时的酋长丘华比立刻带领全族的人,避到南方荒僻的地方。我们赶了好几个月的路程,一路上穿过浓密的丛林,经过许多绵延不绝的高山,历尽千辛万苦,才找到现在所居住的地方。这里依山傍水,比较适宜居住。"

泰山又问他:"那么,从那以后,敌人再没有来过这里吗?"

比苏里答道:"在一年以前,曾有一小队阿拉伯人和孟由马人到过这里,也要对我们进行侵扰,幸而他们人少,众寡悬殊,被我们打退了,也杀了不少他们的人。我们整整追赶了他们一天,几乎把他们全部消灭了,只溜掉了三五个残贼。"

比苏里一边高兴地说着,一边玩弄着他左臂上的金镯,泰山看着金镯金光闪闪,想起久已怀疑的那个问题。当初因为语言不通,所以无法仔细问个究竟,今天再不能错过好机会了。泰山在文明社会生活过,知道黄金是很贵重的东西,有了黄金,许多事情都容易办到了。他现在虽然脱离了文明社会,但仍然希望自己拥有黄金,于是指着比苏里的手镯问:"比苏里!你们这些黄金饰物,是从哪里得来的?"

比苏里指指西南方向说:"往西南去,有一个地方,离这里约有一个月的路程。"

泰山问:"你到那里去过吗?"

比苏里说:"没有。好多年以前,我们族里曾有人去过,那时我父亲还是个青年人呢。我父亲带领一些人,想开辟一个新的根据地,不辞辛苦,奔波跋涉。有一次,他们遇到一类身体非常结实的人，这些人身上都佩戴着黄金饰物，甚至连枪尖和箭尖、家里的日用品，也是用这东西做的。那些人住在一个很大的村落里，屋子是用石块砌成的，村外围着一堵高墙。这些人非常凶狠，一见有人来，不问青红皂白，就冲杀出来。当时父亲带的人数不多，不想吃眼前亏，只好退避，守在一个山头上，到太阳下山，天色暗了，我们的人见他们已退回村落，才敢出来。从他们的死人身上取下了黄金饰物，连夜赶回来，以后再也没敢去过。据说，他们是一种很凶恶的人种，皮肤不像你这样白，也不像我们这样黑，全身长着长毛，像大猩猩一样。他们确实凶狠，我们当时的酋长丘华比后来只要讲起他们，都还心有余悸呢！"

泰山问："现在你们这里还有没有人，是当年和丘华比一起去过的？"

"只有我们现在的酋长瓦齐里，那时还是个青年，丘华比就是他的父亲。"

那天晚上，泰山见了瓦齐里，就向他详细询问。瓦齐里告诉泰山，自己年轻的时候曾见过这种怪异的人，并说到那里去的路虽然遥远，但并不难找，具体路线他现在还能记得。他说："我们沿着村庄旁的河流，逆流而上，大约走十天左右，就到了一个高山边。这座山就是这条河流的发源地。第二天，我们爬过高山，又看见了另一条河流，沿着这条新发现的河流走下去，穿过密密的丛林，这条河也变得越来越开阔了，我们一直沿着这条河走，希望能在河的近旁找到一块平地。谁知过了山岭，走了约有二十多天，挡住前面去路的，却又是一座更高的山。我们想爬到山顶上去瞭望一下，看看山下是否还有河，哪知快爬到山顶的时候，却发现了一个小山洞。我还记得，在那里过夜非常冷。第二天，我们继续往山顶爬去，想向山的另一边探望，看看到底是怎样一个地方，如果不如我们原来的地方富饶，我们就打原路回去。于是我们就顺着羊肠小道，披荆斩棘，攀藤附葛，终于爬上了山顶。只见前面有一个很大的村落，屋子都是用石块造的。有的已经坏了，看样子好像历经了很多年代。"

瓦齐里再往下叙述，就和比苏里说的一样了。

泰山听得十分专注，说："我很想到这个地方去，见识见识这座怪城，如果有可能，也去取一些黄金饰物来。"

瓦齐里说："这条路山高水长，非常遥远。而且现在我比不了当年了，年纪大了，体力不济，不能陪你同去。如果你一定要去，等过了这个雨季，河水平缓了，路上比较好走一些，我可以选派一些武士陪你去。"

泰山心里却恨不得立刻动身，最迟到明天早晨。他这种有了一个愿望就想马上达到的心情，简直像小孩子一样。可是瓦齐里既这样说，只好耐住性子，照他的话做。

第二天，有一小队人要到南方去打猎，先去探路的人回来报告说，离此不远的地方，有一大群象，他们曾经爬到树上仔细瞭望过，有些象长着很粗大的牙，值得去猎取。大家听了，连夜就组织了一个大规模的狩猎队，准备好一切武器，等候第二天早晨出发。

这次参与打猎的共有五十个黑武士。大家都背着弓箭，拿着长矛，精神抖擞。泰山也在队伍中，他和大家除了肤色不同之外，都是一样装束，也说着他们的土语，跳着他们的蛮族舞，一眼看去,很难分辨出他是一个外来者。这时,他自己也觉得好笑,谁还能认得出,不久之前在巴黎的上流社会里,穿着燕尾服和一身珠光宝气的夫人小姐们款款跳舞的,也是他呢!同时,他也想到了得·阿诺,如果得·阿诺现在在这里,看见自己这副模样,一定也觉得十分好笑。此时泰山反而觉得得·阿诺很可怜,他虽然做了海军军官,衣冠楚楚,可是行动不自由,真不如自己现在过原始人的生活来得逍遥自在呢!

走了约两个小时,已经到了前天他们发现象群的地方。大家就开始留意循着象的足迹,一路追寻下去。这队人马大约又走了半小时的光景,泰山第一个举起手来,打个招呼,通知同行的人慢些前进,因为他已嗅到象的气味了,象群很可能就在前面不远的地方。那些黑人似乎不大相信他的话,因为他们一点迹象也没察觉到。泰山高声喊道:"都跟我来,爬到高处去看!"

泰山一跃就上了树,很快爬到树顶,有一个黑人也跟着他爬了上去,不过与泰山相比,他爬得很慢、很小心。当他靠近泰山身边时,泰山让他向南方看,几百码之外果然有许多象背露出来,在茂密的草丛中,蠕蠕地在晃动。泰山指着那个方向,告诉了下面的黑人。

下面的人,马上向泰山所指的方向出发,树上的那个黑人也飞快地爬了下来,直追上去。但泰山却留在树上,分枝穿叶,迅速而无声地向前追去。

猎象可不是儿戏,泰山知道,如果单靠弓箭和刀枪,不但猎不到象,反而会很危险。在非洲的蛮族人中,没几个人有这么大胆量。现在瓦齐里领的人敢来集体出猎,要算是很勇敢的了。这

泰山伸出钢铁一样的手，一矛直刺象的心脏。

五十个黑人在地面排成半圆形，猫着腰，蹑手蹑脚地包抄上去。发现前面有两只巨象，双牙极粗。那排成半圆队列的黑人，一声暗号，分成两排，一齐直起身来，各自把长矛对准象掷去，没有一支矛是落空的，都刺入了两只大象身上。其中一只象，被两支矛刺到了心脏，倒在地上滚了几滚，就不动了。另一只象对着猎人们站着，身上的矛没有刺中致命处，只是外皮受了些小伤，拼命瞪着它的小眼睛，向四面寻找它的仇敌在哪里。黑人们掷完长矛，早已退到树林里去了。大象听到杂沓的脚步声，马上跟着追了上来。

　　比苏里逃在队伍的最后，大象追上来，不知为什么，他却怎么也跑不快了。这时大象越追越近，泰山在附近的树上看见，知道他朋友的性命危急万分。于是他大叫一声，冲了过去，泰山想现在只有自己能救比苏里了。大象离比苏里只有六七步远，其他土人都只顾往前跑，没敢回头看。于是泰山从树上跳下，奋不顾身，拦住大象的去路。那大象见树上突然飞下一个人来，吓了一跳，呆了半晌，随即把头一低，向泰山冲了过来。

　　泰山却比它更快，一闪就跳开了，趁势跳到象的背上，伸出钢铁一样的手，抠住象的肩头，一矛直刺象的心脏，那只象倒在地上死了。比苏里还在惊慌地向前狂奔，不知泰山已经救了他的性命。老酋长瓦齐里和其他武士们站在远远的树林中，把泰山杀象的整个过程看得清清楚楚，大家都欢呼着高举双手，直向泰山身边奔来。只见泰山一只脚踏在象尸上，昂头长啸一声，吓得他们都心惊胆战，这一声多像大猩猩啊！而大猩猩正是他们最害怕的，甚至比遇到狮子更害怕。他们哪里知道这是泰山的习惯呢？

泰山长啸之后,立即恢复了常态,笑着招呼他们,但他们此时还没从惊吓中回过神来。他们无法明白,泰山何以会有这样的神力?为什么会这样长啸?真是不解!他和黑人只是皮肤颜色不同,看他外形,明明是个人,可是他又会像猿猴一样,在树上跳来跳去,又会发出这样吓人的啸声,简直和树林中的野兽没有两样,他们所有的人都惊疑不定了。

其他的勇士也围拢来,商量了一会儿,准备再追猎其他的象。哪知走了没有多远,从后面远远的地方,传来了剧烈而杂乱的响声。

大家都很奇怪,站住静听,泰山大声说:"这是火枪声,有人进了我们的村子了。"

瓦齐里喊道:"不好了!快走!阿拉伯强盗带着奴隶,又到我们的村落里去了,去抢我们的女人和财物了!快赶回去保护村落!"

十六
抢象牙的匪徒

瓦齐里族的武士们听到枪声十分惊慌,急忙穿过丛林,赶回本村去。没有几分钟,枪声渐渐稀疏起来,不像先前连珠一样了,又过了一会儿,竟完全停止了。他们估计村里的人一定被打得大败,没有抵抗的能力了。

这队打猎的勇士们继续往前赶,又走了几里,遇到从本村逃出来的人。从他们口中得知,村子已被敌军占据。这一群逃离的人狼狈不堪,扶老携幼,哭哭啼啼,他们见了瓦齐里,都拥过来哭诉。其中一个妇女边哭边说:"敌军多得像树叶,其中有阿拉伯人,更多的是孟由马人,都有火枪。一进村就是几阵排枪,见人就杀,可怜咱村的人没有准备,被他们打得落花流水。我听见一些孟由马人说:'你们往哪里逃?今天休想活命!去年的仇恨,这次总该报了!'看他们来势汹汹,是有意来报仇的,不把我们杀光,不足以解恨。幸亏我们这些人逃得快,不然,也被他们杀了。"

瓦齐里听了她的哭诉,知道敌人统率了大队人马,执意来报仇,自己所率领的武士如果不赶紧回村去救援,恐怕就来不及了。又往前走了一里路,遇见一百多个难民,其中多数是壮汉,与原来的队伍合并起来,声势壮大了不少。酋长派遣十二个武士,前去打探敌情,吩咐他们一路小心,不要被敌人发现,他自己和泰山带领余下的人在后面跟着。

不久,有一个探子从村外瞭望回来报告说:"敌人都在村内,没有人在村寨外边。"

瓦齐里非常高兴地说:"好极了!我们可以趁此机会把他们包围起来,杀个干净。"说着,他立刻指挥武士们,赶快集合在村外,听候命令,准备包围进攻。泰山劝阻他说:"先别急,你冷静想想,就算敌人只有五十支火枪,他们武器比我们先进,这就足够让我们吃亏的了。不如先让我去探察一下,从树上居高临下仔细看看,了解一下他们到底有多少人马,想想我们能不能用更巧妙的办法取胜。不然,我们的人会白白送命,岂不是划不来吗?而且我还有更妙的计策,等一会儿告诉你,你们先等一下,好吗?"

"好!你去吧!"老酋长点点头说。

泰山一跃,跳上了树,脚下生风,向村子飞奔而去。他知道此行极不容易,如果被敌人发现了,火枪朝上打,自己是十分危险的。于是泰山专拣枝叶浓密处走去,几分钟后便到了村后的一株大树上,居高临下,仔细张望,看得非常清楚。他细细数了数,阿拉伯人一共有五十个,但是,孟由马人到底有多少,由于太分散,他却数不清楚。这些人都在村子里大吃大喝。泰山看他们都有枪支,自己的队伍决不是他们的对手。泰山想,如果采用野战、肉搏,或许可以有取胜的希望,可是现在他们坚守在村子里,要想攻进去,凭自己这一方的武器和人数,无论如何是不可能的。于是他立刻回去,告诉等候他的瓦齐里,不可轻举妄动,还是按照他想好了的计划行动为好。

但是在几分钟前,老酋长得到了一个非常不幸的消息,一个逃出来的人说,老酋长的妻子惨死于敌人之手了。失去亲人的痛楚使这个老人无法保持冷静了。他立即指挥武士,呐喊着向村里进攻。泰山阻拦不住,只好跟着。谁知这百来个武士,刚靠近村前,阿拉伯人已经从寨子里开枪了。

第一排枪就打中了瓦齐里,他倒在地上死了。其他的人见酋长死了,锐气减了大半。接着又是一排枪响,前面的五六个人应声而倒。靠近村前的人陆续中弹倒下,后面的武士见形势不妙,都拔腿向树林退去。敌人追杀了出来,泰山落在了后面,然而他并不惊慌,慢慢走着,招呼败退下来的人且到树林里面去,不要聚在一起。他与大家约齐,等天黑时到猎象的地方集合,共同商量进攻村落的计策。

泰山进了树林,敏捷地跳上树去,向村落后面飞奔而去。他在那里从高处一望,见所有的阿拉伯人和孟由马人都出村追杀黑人去了,只剩下一个孟由马人,在看守被捆着的瓦齐里族俘虏。

泰山趁那孟由马人向村外树林瞭望的时候,从树上轻轻下了地,用手握住毒箭,架在弓弦上,瞄准了那个孟由马人,放轻脚步,走到他背后,相距大约十步,"嗖"的一箭,穿过了那孟由马人的胸膛。那人一声都没出,倒下就死了。

泰山此时才有暇细看那批瓦齐里族俘虏,绝大多数是妇女和孩子,便取出刀来,割断绳索,救他们脱险。泰山指路让他们先逃,自己去解下了守兵尸首上的火枪。泰山引导众人逃出村落,向<u>丛林</u>里跑去。这群被救出来的人,身上多多少少都有些伤,一步一跌,走得很慢。泰山等不及,告诉他们各自往前走,自己在约定地点等候。那群受伤的人怕有敌人来追击,苦苦哀求,请泰山带着他们同走。泰山无法,只好与他们慢慢地走,远远避开枪声。泰山料定阿拉伯人还在林里厮杀,他们一时还不会发觉守兵被杀、俘虏已被救走的事。

黄昏时候,枪声渐渐停止,泰山知道阿拉伯人和孟由马人战事结束后,就要回到村里去了。泰山心里暗暗好笑,想到这群人回去之后,见卫兵死在路上,俘虏不见了踪影,他们一定会又惊又气。可惜自己没来得及把村子里的黄金饰物和象牙都带出来,使敌人妄费心机一无所获,若能这样,准会把他们气个半死。好在泰山早已打好了主意,不怕他们逃到哪里去,财物早晚也是丢不掉的。

泰山带了这群受伤的人,走得很慢,到了半夜,才发现前面有熊熊的火光,这火光是泰山和朋友的约定,在猎象的地方以火光为信号,等候聚齐的。

渐渐走近了,泰山预先呼喊了一声,表示来的是自己人。那些瓦齐里人听到声音,都冲过来迎接他们,一齐回到火堆的地方去。他们都向这些死里逃生的亲友致贺,大家都快活得忘了疲倦。泰山催促他们早些休息,以便养精蓄锐,准备第二天早晨进攻敌人。虽然泰山救回来一些俘虏,但还是有些人死于敌手。有些女人听到丈夫或子女死于敌人枪下,有的咬牙切齿,有的号啕大哭,根本不想睡觉。急得泰山只好对他们说:"夜深人静了,声音传得远,若被阿拉伯人听见了,追杀出来,大家都有危险。"经泰山这样连劝带吓,大家才不敢作声了。

第二天早晨天刚黎明,泰山就把自己想好的计划讲给瓦齐里族的武士们听。他们听了,都点头说好,都愿意接受泰山的指挥,为已死的亲友们报仇,夺回自己的村寨。

第一件事,就是先设法安置妇女和孩子,泰山委派了十二个年老的武士,保护着他们,向南方避去,离开危险的作战地带,找个靠山近水的地方,暂时住下来,静候前方的消息。泰山告诉他们说,敌人决不是几天或几个星期就可剿灭的,在未取得胜利之前,精锐的武士们必须全力投入战斗,没有精力和时间来照顾他们,所以要他们躲得远远的最好。

泰山安排完毕,天色已大亮了,于是他指挥黑武士们以圆环队形向村子包围。近村时,泰山让大家轻轻爬上村旁大树,各自要彼此离开一些,保持一定距离,不要挤在一起,想法隐身在树叶浓密处,看准村子里的敌人,只要他们不提防时,就放冷箭,放箭之后立即躲在树干后面,不要接连放箭。武士们都照泰山的吩咐去做,村子里的敌人,不多一会儿,就有不少人中了冷箭,或是丧命,或是受伤。

过了一段时间,敌人被冷箭射中的人多了,他们渐渐害怕起来。根据以往进攻的经验,从来还没有遇到过这样的偷袭。土人每次抵抗,都是大队人马,呐喊而来,决不用暗箭的。这次,被惹怒了的阿拉伯人,立刻冲出村来迎敌,哪知四面都瞭望到了,却连一个人影也找不见,心里越来越害怕。突然,一个阿拉伯人又猛地倒在地上,一支毒箭端端正正刺进了他的心脏。

泰山蹲在高树枝上,指挥着黑武士们,他那闪亮的目光,不断向敌人扫视,忽而命令放冷箭,忽而命令回到树叶后面隐蔽,完全随机应变,没有规律可循。阿拉伯人只以为飞箭是从村口外射来,于是都奔向村口,但是一不留神,就有一支暗箭射来,东倒一个,西倒一个,根本无法找到箭从哪里射来。后来他们决定到树林里去搜抄,但是树上的黑武士们,在泰山的指挥下,早已转移到别处去了。阿拉伯人找来找去,竟一无所获。

泰山隐在树枝高处枝叶茂密的地方,注视着下面走过的敌人。只要有阿拉伯人或孟由马人从这里经过,都不时有人受到飞来暗箭的袭击。有时从后面飞来一箭,冷不防穿过敌人的心脏,立刻死了。不多一会儿,阿拉伯人和孟由马人由于屡遭暗箭,觉得自己置身于危险之中,无以自保,又无处可藏,都吓得魂飞魄散。他们始终不明白,射死射伤他们的这些暗箭究竟是从哪里来的,四周静悄悄的,一个人影都没有,但是随时随地都有死亡的恐怖笼罩着。他们渐渐失去了勇气,既不敢出来搜寻,也不敢回村里去,因为这两个地方同样不安全。

回到村里之后,阿拉伯人和孟由马人都惊魂未定。孟由马人要求阿拉伯人退出这个危险的地方去,但是阿拉伯人又舍不得象牙和黄金,如果带走,又怕路上出危险,只好决定死守一阵再说。阿拉伯人让人们都躲到屋子里去,他们以为这样可以免受暗箭的伤害。哪里知道,泰山仍在树顶上,看到阿拉伯领队领着人钻进屋子里去了,心里暗笑,立刻跳到靠近屋子的树上,握着长矛,对着屋顶掷下去,听到里面一声惨叫,像狼嗥一样。泰山知道刺中了人,他的意思是让敌人明白,在这个村子里,他们没有一个地方是可以平安无事的。泰山立刻回到树上,集合了黑武士们,往南边后退一里路,安营扎寨,饱餐一顿。他又派遣一名武士去侦察敌人的动静,结果回报说没有追兵。

泰山检点了一下自己的部下,一个人都不缺,甚至连受轻伤的都没有,统计敌方的死伤,倒有二十多个,都是中了暗箭的。这时黑武士们,都手舞足蹈,分外高兴。竟有人主张乘胜到村外去围剿,杀敌人一个全军覆没。泰山听了,厉声怒斥道:"你们真是胡闹!摆开阵势明打,你们的长矛和弓箭,怎么敌得过他们的火枪?我不是已经告诉过你们,对付这些敌人只有一个方法,那就叫'暗箭最难防',今天已经刺了二十多个,比你们昨天的有勇无谋、盲目应战,战果不是好多了吗?如果你们不按我的计划,想给阿拉伯人和孟由马人当枪靶子,那也由你们自便,我就不管了,我只有离开你们,到我自己要到的地方去。"

武士们见泰山发怒了决心要走,大家都苦苦哀求,都表示愿意服从他的指挥,请他不要动气,在这困难关头,万万不可离开。泰山说:"很好!现在我们先回到昨天过夜的地方去休息,我自有计划让阿拉伯人退出村落。来!我们走吧!且让他们安心再过一晚,明天下午我们再继续进攻。"

众人到了老地方,生起火来,吃了东西。天一黑,大家便躺下睡了。泰山睡到半夜醒来,悄悄起身,穿林而去。一小时之后,到了荒村的空地前面,望见村里烧着一堆柴火,火焰熊熊,泰山轻轻跳过空地,来到村口站住。他看见一个守兵,正坐在火堆前守夜。

泰山轻轻绕到那人背后,转身上了树,拈弓搭箭,想射那个守兵,但跳动的火苗,晃他的眼,怎么也瞄不准。他想,如果射不中,守兵叫喊起来,惊醒了其他人,反而惹麻烦了。他立刻改变了主张，把带来的弓、箭、绳、枪，全放在树上，轻轻跳下来，窜到那人背后。泰山一看守兵的样子非常高兴，因为那守兵正在打盹。自己离开那人只有两步距离，泰山想立刻一刀结果他的性命。

泰山正想蹲下身去抢刀，那守兵突然惊醒，跳了起来，直对着泰山。

十七
瓦齐里族的白人领袖

那个守卫的孟由马人,跳了起来,转身直对着泰山,见他站在面前,手里拿着一把明晃晃的长刀,早已吓丢了魂,既想不起来自己手里有枪,也想不起来喊叫,只是呆呆地对着泰山。这时泰山向前逼近了一步,那守兵像吓醒了一样,转身就跑。哪知泰山动作比他快得多,追上前来,用铁钳一样的双手掐住了他的喉咙,使他喘不过气来。他拼命挣扎,但怎么也脱不出身来,双眼越瞪越大,舌头也吐了出来,脸色青紫,再也没有挣扎的力量,软瘫瘫地死了。

泰山举起他的尸体,扛在自己肩上,又拾起了他的枪,往村后的树林里去了。泰山爬上树,把尸体放在枝叶浓密的地方。先把死人身上的子弹袋取了下来,另外,凡是有用的东西,完全剥下来,据为己有。泰山等到一切放置妥当,便拿起那人的枪,跳到靠近村寨的树上,对着阿拉伯人的茅舍开枪。枪声响过,就听到屋子里有人高喊"救命",泰山心里一阵高兴,料想一定又打中了人。

很快,阿拉伯人和孟由马人从屋里一拥而出,向四周仔细搜寻,什么东西也没找到。他们不由得想起了白天的恐怖事件,难道这奇怪的、看不见的东西,白天杀了许多人还不够,夜间又出现了吗?他们越想越害怕起来,猜想这放枪的,一定是一个非同寻常的东西。他们忽然想起,该去查问一下那个守卫的哨兵,哪知找来找去,竟连影子都没有,这就使他们更加害怕起来。于是他们举起枪来,对着村前的黑暗中乱放,借此给自己壮胆。泰山趁机又瞄准了一个人,放了一枪。这一群胡闹的家伙中间,又有一个应声而倒。这样一来,再没有人敢放枪了,大家吓得目瞪口呆、全身发抖。那些孟由马人此时已不顾阿拉伯人的监管了,大家都想跑进丛林中逃命,好像村里出现了吃人的怪物,他们再也不想多待了。

  过了好久,他们才稍稍镇定下来,因为这一段时间,再没有人猝然倒地。但是,这只是暂时的,吓破胆的事情接着又来了,泰山在半空中放开喉咙,发出一声凄厉的长啸,这是他们只从人猿群中听到过的声音,这群人抬起头来,想要找找声音是从哪里发出的,这时泰山拿起卫兵的尸体,对准了他们,照直抛下来。

  大家又大吃了一惊,以为这奇怪的凶神,居然从树上飞下来了,吓得抱头鼠窜、拼命逃生。那些跑得慢的人,被后面拥上来的人推倒了,自相践踏,也伤了些人;跑得快的,都逃到丛林中去了。

  这时候,没有一个人敢回头仔细看看从空中落下来的到底是什么东西。但是泰山早已料到,用不了多少时候,他们一定会回来看个究竟,一旦发现掉下来的是卫兵的尸体,他们一定会朝树上齐放乱枪。于是泰山不出一点声音,悄悄回到瓦齐里族人住的帐篷里去了。

过了一会儿,他们之中一个胆大的阿拉伯人回来看了看,只见那掉下来的东西,落在地上一动不动。他觉得奇怪,就一步一步试探着走到跟前,见那东西仍不动,才壮着胆子仔细看看,好像是个人。他鼓起勇气把他翻转过来,啊!原来是那个守卫的孟由马人,已经断气了。他提高声音叫喊,叫大家赶快回来。不一会儿,一大群人包围着孟由马哨兵的尸体,七嘴八舌地分析了一阵,断定这是被敌人暗算了之后,从树上扔下来的。于是他们向着树上一齐开枪,要不是泰山早有预见,一定被他们打成蜂窝。

后来,有人想到应该检验一下尸体,看是怎样被杀的。因为天黑,外面看不清楚,于是把他扛到茅舍里,发现他脖子前面青紫浮肿,有一条条粗大的手指印,全身其他地方没有伤痕,他们才知道是被人掐死的。大家此时心惊肉跳,一筹莫展,实在感到这里没有一处不危险。孟由马人更为迷信,认为这神秘的煞神不是魔鬼,就是妖怪。阿拉伯人虽然不相信这种看法,但他们也无法解释这一切。

原来,孟由马人都是阿拉伯人的奴隶,处处听命于阿拉伯人。但事到如今,服从主人的心,已经被恐惧心压倒了。这时已有五十多个胆小的孟由马人,躲到村子外面去了,他们在伺机逃跑。阿拉伯人看看大势已去,也没有别的办法好想,只好允许明天早晨放他们动身回故乡去。

泰山回到瓦齐里族人那里时,大家还在睡觉,他也没有说什么。第二天早晨,他带领武士们,准备仍照昨天的办法去收拾敌军。哪知走近村寨,见那些孟由马人都扛着象牙出来了。泰山心中暗暗好笑,知道他们白费气力,不久还是要扛回来的。但同时他也看见了另一件事，这可是他原来没有料到的，他心里很着急：原来许多孟由马人手里都拿着火把，可能要动手烧毁村庄。如果村庄被烧，损失可就大了。

泰山立刻跳到离村约一百英尺远的树上，用阿拉伯语向村里高声喊叫："不准放火！否则把你们杀光！不准放火！否则全杀死你们，一个也不留！"

他连喊了十多遍，孟由马人真的有些害怕了，犹豫起来，其中有一个人已经把火把扔在地上了，其他人也有想扔的，可是阿拉伯人看到这情形，急了，把鞭子照直向孟由马人抽来，逼着他们向茅舍走去。泰山此时已明确知道，阿拉伯人在逼孟由马人放火。他在一株很高的树上站稳，扳动枪机，正打中了一个阿拉伯人的肩膀。孟由马人见了，立刻放下了火把，拼命向村外跑去。阿拉伯人起先还威胁他们，但孟由马人出于恐惧，顽抗起来，死也不肯再拿火把。阿拉伯人看形势不妙，怕激起孟由马人的叛变，也只好罢休，但心里却怒火万丈，暗想假如以后再有机会，一定要把瓦齐里村变成焦土。目前他们唯一希望的就是，把树上的怪物打死。

他们向树上仔细寻找，可是什么也没找到，他们恼羞成怒，索性举枪乱放，希望总有一枪能打中要打的目标，结果自然是白白浪费了许多子弹。

泰山早已料到了这一手，预先就跳到一百英尺以外的另一棵树上去了，他从那里观察村里的动静。泰山知道阿拉伯人狡猾可恶，就想多用些法子跟他们恶作剧一下，这倒也是开心的事。于是泰山又高声叫喊道："留下象牙！留下象牙！人要死了，守着一堆象牙有什么用！"

许多孟由马人，听见树上连声这样喊，心里不免活动起来，想把肩上的象牙放下，但是那些贪婪的阿拉伯人，哪里肯容他们这样做？他们端着枪，威胁着这群奴隶，不准他们放下象牙，否则就打死他们。孟由马人扛着的象牙价值巨万，阿拉伯人怎会舍得丢下这么大一笔财富呢？他们一味催着孟由马人，扛着象牙快走，于是一大队人都大步地走出了瓦齐里村，一直向北走，穿过丛林，准备取道回刚果。

泰山早已指挥着瓦齐里族的武士们，照前次藏身树上的方法，沿途埋伏，等敌人经过的时候，就从两旁放毒箭，或者掷下长矛。这一手真灵，每发必中，不是射中阿拉伯人，就是射中孟由马人。瓦齐里族人也并不穷追不舍，只是从小路包抄上去，跑到前面，再埋伏下来。瓦齐里族人自己一点也没有危险，因为阿拉伯人始终也没发觉敌人藏在哪里，箭和长矛从哪里来。阿拉伯人和孟由马人个个提心吊胆，时时刻刻怕死神光顾到自己身上。

这样一来，阿拉伯人对于搬运象牙的孟由马人，指挥极为费力，而回刚果的路又是那样遥远。白天有可怕的魔鬼追着，时时有死亡的威胁；到了夜里，阿拉伯人就在小河边安营过夜。大家心里都充满了恐惧，他们尤其害怕夜里守夜，有些人还没轮到自己，就先发起愁来。因为凡是守夜的人，几乎都是不明不白地死去的。

这样恐惧伴着死亡的路程，接连走了三天。白天是在毒箭和长矛下逃生，入夜后还有令人防不胜防的枪声。不少人莫名其妙地送了性命，就是幸而未死的人，也无不提心吊胆。到了第四天早晨,有两个孟由马人实在不堪这种心理重负了,再也不听阿拉伯人的命令,丢下扛着的象牙没命地逃跑,被阿拉伯人抓住,当众枪决了。剩下的孟由马人只好勉强背着象牙和黄金,拖着疲惫的脚步,一步一步往前挪。然而正在这时候,丛林里又发出了响亮的喊声:

"孟由马人!今天你们再不丢下象牙,一个也休想活命!你们手里有的是枪,为什么一定要服从阿拉伯人?杀阿拉伯人!掉转枪来杀他们!只有这样,才能保全你们的性命。只要你们放下象牙和黄金,我们决不杀你们,还可以让你们安稳地回家乡去。快丢下象牙!杀掉奴役你们的阿拉伯人,我们可以帮助你们。否则,你们走不出这个丛林,都难逃一死!"

孟由马人听了,停住脚步,你看看我,我看看你,似乎被这喊声提醒了。阿拉伯人听了,却吓得面如土色,眼睛直瞪着孟由马人。原来这时,阿拉伯人只剩下三十个了,而孟由马人却还有一百五六十人,而且手里都有枪,如果他们真觉醒了,团结起来,歼灭阿拉伯人是并不费力的。在死亡的威胁面前,这些人出于求生的本能,自然会选择趋吉避凶的办法。

阿拉伯人见事不妙,当时就集合起来。他们的头领命令孟由马人继续前进,一面命令,一面还举起枪来威胁。但是孟由马人不但不服从,反而全部丢下了象牙,把枪口对准了阿拉伯人,子弹终于射出了。阿拉伯人还想做最后的挣扎,但他们已力不从心了。一方面是众寡悬殊,另一方面是已经陷入了孟由马人和瓦齐里人的夹攻。不消说,这一场厮杀,是以阿拉伯人全军覆没结束的。只片刻工夫,阿拉伯人已尸横遍地了。

泰山等到枪声停止，在树上又对孟由马人喊道："扛起象牙，送回到我们村里去，我们决不伤害你们！"

孟由马人听了却犹豫不决，他们怕再吃前几天的苦头。他们彼此商量了一下，推选出一个代表，对着丛林里高声喊道："我们可以把象牙送回你们村里去，可是害怕受你们的暗算。"

泰山立刻回答说："我不是说得很明白吗？只要求你们把象牙送回村里，决不伤害你们。反正你们抵抗不了我们，不如听我的话，我保证决不加害你们。只要你们把象牙送回村里，决不伤害你们，听明白了吗？"

下面的孟由马人又高声问："你会说阿拉伯话，到底是什么人？请你给我们见一见面，我们保证服从你的命令。"

泰山立刻从浓密的枝叶间跳下来，离开孟由马人有一段距离，郑重而高声地喊道："泰山在此！"

那些孟由马人一看他是一个白人，却更加恐慌起来，因为他们从来没有见过白种土人，而且身体又异常魁梧，真是威风凛凛。他们有生以来第一次见到这样的人，心里又惊慌又敬畏。泰山说："你们不用怕，只要依我的话做，我担保你们平安无事，我说话是算数的。快把象牙送到我们村里去，不然的话，你们若再向北走，我们还要追你们的，你们难道不知道已经被我们穷追了三天了吗？"

孟由马人马上想到前三天吃的苦头，他们知道还是答应了好，否则，性命恐怕难保。于是他们仍旧扛起象牙，向瓦齐里村走去。

走了三天，孟由马人又走到了瓦齐里村前，和村里人一见面，几乎又冲突起来。原来瓦齐里人得了泰山的通知，早在前一天就从南方赶回，在村里等候泰山，一见孟由马人，立刻想到死去了的亲友，仇人见面，分外眼红。幸而泰山赶紧向瓦齐里人说明孟由马人悔过的经过，瓦齐里人听了泰山的劝导，才渐渐心平气和，让他们进村休息了。

当天晚上，瓦齐里村开了一个联欢大会，仪式隆重，非常热闹，联欢会的目的，第一是庆祝瓦齐里人的胜利，第二是选举一个新酋长。自从老酋长瓦齐里死了以后，大家在泰山的指挥部署下，忙于和敌人打仗，这期间还没有工夫想到推选一位新酋长的事。这次战斗，完全靠了泰山的妙计才转败为胜，每个人都对泰山怀着一份感激和佩服之情。

所有的瓦齐里族人，围坐在一堆火的四周，共同讨论新酋长的人选问题。比苏里第一个发言说："老酋长已经死了，他又没有子嗣可立。我想，我们现在已经有了一位好领袖了，他比老酋长更足智多谋，文武双全，我们没有他，就不会有今天。我想，你们的想法一定和我一样，我是说，应该推举泰山做我们的新酋长！"

比苏里说着就站了起来，跳着舞，绕着泰山唱着劝进的蛮歌，其他的人也都陆续加入，唱着、跳着，围着泰山转圈。泰山听他们唱的是："瓦齐里万岁！"

这时妇女们也围拢来，坐在圈子外面，有的拍着手，有的敲着皮鼓，应和着跳舞的节拍。泰山坐在圆圈中心，听他们高呼"瓦齐里万岁"。舞的人越舞越快，唱的人声音越来越高。这种盛典本来是少见的，所以大家都欣喜若狂。泰山等他们跳完，自己也站起来，在黑人中乱舞乱跳，那动作完全和土人一样。

泰山现在这副样子，如果给奥尔迦看到了，她会想到不久之前，他就是在巴黎的那位漂亮青年吗？如果被琴恩看见了，她还会爱这位瓦齐里蛮王吗？如果被得·阿诺看见了，他还能认出这就是法国陆军部的特派员吗？要是被英国上议院的官员们看见了，他们还会承认这位蛮王就是格雷斯托克爵士吗？

十八
死亡的抽签

救生艇飘泊了一夜之后，船上的人都疲倦异常，几个人不觉都昏昏睡去。有的睡在横贯船体的座板上，有的蜷缩着睡在船底，都睡得很沉。第一个醒来的是琴恩，她四顾茫茫的海水，其他几只救生艇一个也不见了，她不禁害怕起来，估计另外几只救生艇上的人怕都葬身鱼腹了。因而联想到自己和自己这只小船的处境，恐怕也是朝不保夕了。

接着威廉·克莱顿也醒了，他起先还以为仍安睡在"爱丽丝女士"号船上，忘记了昨夜遇难的事。他张开惺忪的睡眼，看见了琴恩，才记起了昨晚的事。他不禁叫了起来："啊!琴恩!感谢上帝，我们还没有走散，我没有失掉你!"

"看哪!只剩下我们这几个人了!"琴恩指着海面，没精打采地说。

克莱顿望着一片汪洋，不见半只船影，也不禁惊叫道："另外那些人都到哪里去了?海上没有风浪，他们不会覆没的，昨晚游艇下沉的时候，我分明看见他们也分别上了救生艇!"

威廉·克莱顿立刻叫醒了同船的人，询问另外几只救生艇的事。有一位水手说："先生!四条救生艇分开，各走各的，比聚在一起好,这样,遇救的机会就多了三倍,只要一只船遇救,肯定会来寻找其他三只船。大家还是安心吧!不用惊慌。"

大家听水手说得有理,也只好暂时放下心来。谁知大家才安定下来,忽然一个水手又大声惊叫起来:"这下可完了!"大家围拢来,看发生了什么事,原来昨夜停桨的时候,由于过度疲劳,没有把桨扣牢,两支长桨都不见了。这一来,这只救生艇只能随波飘流,没有可能主动向东行驶寻找陆地了。大家因此都一筹莫展,两个水手互相埋怨,争吵了起来,闹到几乎要打架,幸亏克莱顿劝阻,才算平息下来。这时,瑟朗一肚子怨气,在一旁怨天尤人,嘴里不干不净,骂英国人蠢笨如猪,没有脑筋。一个英国水手忍不下这口气,和他对骂起来。

其中有一名水手,名叫汤普金斯的,出来劝解说:"算了吧!伙伴们,现在我们大家都处在生死关头,能遇救,当然是大家的福气,不能遇救,大家都遭殃,谁也充不成好汉,咱们别再意气用事,浪费精神来斗嘴了。咱们几个应该同舟共济才是。依我看,咱们还是吃饱了肚子再说吧!"

瑟朗马上说:"我赞成!"立刻回头命令另一个水手威尔逊说:"去!把罐头食品拿来!"

威尔逊听了这种命令口气,也没好气地说:"你自己没长手吗?谁该受谁的气?凭什么大模大样地使唤人?你是船长吗?也不去照照你自己那副嘴脸!"

克莱顿知道这些水手们都是没受过良好教育的粗人,不好惹的,所以自己走去拿了。然而另一个水手却以为他藏着私心,准备挑选好东西,自己享用。

琴恩虽是个女子，倒是个有主见的人。她看船上这种情形，心里十分焦急，忍不住开口建议说："船上该有个船长才对。"她预感到几个人都这样心气不顺，你争我吵，气越来越大，难免发展到动武，如果这样，恐怕等不到救援船，就先自相残杀起来，最后大家只有同归于尽了。她想到这一步，接着又说："我们在这样无边无际的海面上，不顾大难临头，还要吵闹，我看最好推举一个船长，推举出来之后，大家都要服从他，这样，也许才能够同舟共济。"

琴恩本来不打算开口的，她以为威廉·克莱顿是受过高等教育的男子，到了紧要关头，总会挺身而出，为大家担当这一切，解决困难。哪知他不但一言不发，反而听凭水手摆布。水手把他手中的罐头抢去，不准他开。他也无可奈何，全没有一点儿主见。琴恩倒看不过了，说："那就由我来给大家把罐头食品和淡水平均分配一下吧！"

众人听了琴恩的话，倒安静了下来，决定由琴恩把两小桶清水和四罐食品，平均分作两份：一份给三个水手，一份归三个乘客。水手们拿到了食物之后，急不可待地就去开，哪知他们打开的第一听"食物"，才开了一半，三个人就愤怒异常，同声咒骂起来，克莱顿问他们发生了什么事，其中一个叫斯派德(绰号蜘蛛)的水手，发着尖锐的声音喊道："该死！该死！真是该死！哪个混蛋东西拿老子寻开心，把煤油放在罐头里当食物！"

克莱顿和瑟朗一听，急忙去开自己分得的那一份，谁知也是煤油。他们把四听全打开来，全是煤油！大家这时都知道糟了，船上没有可吃的东西了！

汤普金斯不知是不是因为没有食物急疯了，居然高叫起来：

"没有食物,饥饿难熬倒在其次,咱们还有一双皮鞋呢,肚子饿的时候,咬两口牛皮嚼嚼,也可以充饥,倒是假如没有淡水喝,口渴起来却更难过呢!"

这句话好像提醒了另外两个水手,威尔逊没等汤普金斯的话说完,抢先拔去了一只水桶上的软木塞,斯派德赶紧拿了一只洋铁杯,凑到出水口,准备手疾眼快地先倒一杯水来喝。汤普金斯也过来扶着桶,慢慢往下倒,哪知桶里倒出来的不是清水,完全是黑色的粉末。汤普金斯一见,害怕得说不出话来。斯派德看了看洋铁桶,惊恐地跳了起来,喊道:"这桶完全是火药呢!"

瑟朗飞快地把另外一桶打开,也一样是火药。瑟朗叫着说:"煤油和火药!游艇沉没了,食物和水断绝了,看来我们只有死路一条了!"

游艇沉没后才第一天,粮食和清水都断绝了,每个人都感到死亡威胁的痛苦。一船的人都睁大了绝望的眼睛,望着海面,希望有船只经过,但海面上浩淼无际,连船的影子都没有。

日复一日,又过了几天,水手们实在饿得支持不住了,迫不得已,只好解下皮带、脱下皮鞋,咀嚼着聊以充饥。克莱顿劝他们不要吃,把胃吃坏了没有药治疗只会更痛苦,可是谁也不听他的。大家不但饿得受不住,没有水喝,唇裂舌焦,又在火一样的太阳光下烤炙着,连一点遮阴的地方都找不到,真是比死还难受。三个乘客也一样,一点食物都没下肚,已经瘫软得不成样子了。终于,汤普金斯第一个死了,这天正是"爱丽丝女士"号沉没的第七天。这水手临死的样子真惨不忍睹,全身筋肉抽动得非常厉害,面目浮肿,两眼圆睁,看上去非常可怕。

琴恩害怕极了，简直不敢看那尸体，她忍不住对威廉·克莱顿说："你能把那尸体丢到海里去吗？"

克莱顿勉强撑起身体来，向尸体爬过去。那两个水手不明白他要做什么，睁着眼睛，莫名其妙地看着他。克莱顿爬到尸体前，搬弄了两下，气喘吁吁，实在搬不动，便叫旁边的威尔逊帮助推一把，威尔逊却恼怒地说："你要把他丢下海吗？"克莱顿说："天气这么热，明天太阳一晒，发起臭来，那怎么行！"威尔逊咆哮道："我们正好借他活命呢！或许等不到明天太阳出来，我们就把他干掉。"克莱顿起先还不懂他的意思，后来渐渐明白他要吃尸体了，低声地说："上帝啊！你难道就这么残忍吗？"威尔逊说："到了这步田地，还说什么残忍不残忍！蝼蚁尚且惜命，何况是人？他已经死了，有什么要紧？我又不是要杀活人！"克莱顿叫瑟朗过来帮助，威尔逊还想去阻挡，幸而斯派德也赞同克莱顿的主张，这才不管威尔逊的反对，他们三个人合力把尸体推下海去了。

第二天一整天，威尔逊那双幽暗的燃烧着饥饿和怒火的眼睛，始终盯视着克莱顿，好像克莱顿断了他的活命之路，把他视之为仇人。到太阳离开了海面的时候，他还是盯着克莱顿，时哭时笑，嘴里唧唧咕咕不知说些什么，简直像个疯子一样。入夜，克莱顿也不敢睡，可是后来实在支持不住，还是睡熟了。这时只有琴恩没有睡，她以女性特有的耐力，斜靠在船板上，守望着海面，看有没有船只经过。她忽然看到威尔逊向他们这边爬过来，圆睁着两只饿眼，大张着嘴，露出白森森的牙齿，舌头也伸在唇外，气呼呼地扑向克莱顿，准备去咬克莱顿的喉咙了。琴恩忙推醒睡在她身边的克莱顿，克莱顿被惊醒，也被威尔逊那骇人的样子吓了一跳。人在性命攸关的时候,不知力量从哪里来,居然能尽力抵抗,总算没有被他咬着。这时,瑟朗、斯派德也被惊醒了,也来奋力救援,才把疯狂的威尔逊拖到船底去。威尔逊躺在那里,大声狂笑,忽然跳起来,嘴里不清不楚地说着呓语,猛地纵身一跳,跳到海里去了。

船上剩下的四个人,吓得连喊都喊不出声,瘫软在船板上了。原来三个水手,现在已死去了两个,斯派德伤心起来,不觉号啕大哭,琴恩在祈祷着,克莱顿在低声咒骂,瑟朗沉默着,抓耳挠腮,无计可施。

到了第二天早晨,瑟朗把自己想出来的主意告诉克莱顿和斯派德:"如果这一两天之内还没有人来搭救,不用说,我们会饿死在这大海上。依我看,我们恐怕等不到救星了,难道不是吗?这几天不但没有船只经过,连烟囱里冒出来的一线黑烟都看不见,我看已经没有找到食物的可能了。我们现在唯一的希望,就是生命多支撑几天,可是有什么东西能让我们多活几天呢?照现在这样等下去,除了束手待毙、同归于尽之外,还有别的可能吗?我看是没有。所以,我倒有一个办法,我们几个人之中,先牺牲一个,使另外的人借以活命,你们说这个办法如何?"

琴恩听了他的话,吓得魂飞魄散,想不到表面看来文质彬彬的一个人,在这种危难关头会提出这种野蛮主意来,她战战兢兢地说:"我看还是像威尔逊那样,活不下去的时候再跳海吧!这种人吃人的事,难道是我们这种人干的吗?这种野蛮行为,只有原始时代才有。要不然,咱们就大家一块儿死吧!"

克莱顿也说道:"要死应该一块儿死。"

瑟朗却坚持自己的主张,说:"这事应该听大家的意见,我们不妨付诸表决,看哪个意见是多数。牺牲的人,只限于我们男人,与波德小姐无关。"

斯派德说:"那么,谁第一个牺牲呢?"

瑟朗说:"用抽签的方法来决定,不是很公平吗?我袋里有几个法郎,上面都有铸造的年份。其中年份最早的一个作为头奖,谁摸到头奖谁先牺牲,怎么样?"

克莱顿听了他的话,急起来说:"我绝对不赞成这种恶魔式的办法!"

瑟朗马上威胁说:"你要反对多数人的决议,那么就请你做第一个牺牲者。我一定要照这个办法去做,现在已经事不宜迟了。斯派德!你赞成吗?"

"我赞成!"剩下的唯一的水手答得很干脆。

瑟朗说:"已经是多数了,我们该马上实行。牺牲一个人,让三个人多活几天,迟早都一样!"于是他准备摸奖了。琴恩睁大了眼睛,恐怖地看着他,心里暗想,也许要轮到自己做见证人了。瑟朗从袋里摸出六枚法郎来,让每个人都仔细看过,开始宣布办法:"大家都看清楚了,其中只有一个是1875年铸的,我们就把这个作为头奖。"

克莱顿和斯派德两人把法郎仔细验看了一遍,认为六个法郎之中,除了年份不同之外,没有别的记号,于是就认为没有弊端。他们哪里知道,瑟朗是个偷牌作弊的能手,不论是哪张牌,经他手一摸,没有摸不出来的。何况法郎用得年代久了,厚薄上略有不同,这个细致的区别,别人摸不出,瑟朗是摸得出来的。他这种不同寻常的本领其他几个人绝对不知道,连他自己也没想到,会在这个地方派上了用场。

"谁先摸?"瑟朗故意这样问,他是赌场老手,明知一般人的心理总是希望别人先摸,把那个倒霉的头奖摸走,然后自己再去摸。但瑟朗却要自己先摸,他有把握把那个倒运的头奖留给别人。

斯派德果然说愿意最后一个摸,这样当然是瑟朗第一个摸了。他伸手到袋里去,很快就摸出一个1888年的,给大家看了。接着该克莱顿摸了,琴恩在旁边看着,暗暗替他着急,心跳得咚咚响,她怕见血淋淋的残杀。克莱顿摸出一个来,放在手心里,自己吓得不敢看,瑟朗凑过去一看,说:"不是,你放心吧!"

琴恩听见克莱顿没有摸着,心上悬着的一块石头才落了地,不过,这只是过了第一关,如果斯派德摸出来的也不是1875年的一枚,岂不是三个人还要轮流摸一回?这时斯派德已伸手到袋里去了,他吓得手臂发抖,摸不到法郎,脸色灰白,额角上的汗珠,像黄豆粒一样滚下来。这时候他真后悔,不该最后一个摸,别人都没摸着,自己摸着的机会就多了。这时瑟朗心里却非常快活,因为他知道自己决不会摸着那送命的法郎,乐得放心让他们摸。那水手摸出法郎来一看,立刻就晕了过去。克莱顿和瑟朗把他手里的法郎拿来一看,也不是1875年的,原来斯派德过度紧张之后,突然一放心,反而支持不住了。

这样,就该摸第二轮了。瑟朗摸出来的仍不是1875年的。琴恩极度紧张地盯着克莱顿把手伸到衣袋里去,斯派德更为紧张,伸长了脖子呆呆地看,若克莱顿摸出来的仍不是,他自己的命就完了。克莱顿好容易摸出来一个,但是不敢看,把法郎紧握在手里,呆呆地望着琴恩,斯派德却催促说:"快点,给我看!"克莱顿慢慢摊开手,斯派德用全部注意力看上面的年份,看完了,他一声不响,转过身来就向海里一跳——原来克莱顿摸出来的一个又不是1875年的。

船上原本有六个人,现在只剩他们三人了,他们看看眼前这副惨景,都躺倒在船里不做声,任小船顺水飘流。又等了几天,仍不见有船只经过,这无望的日子怎么挨下去呢?瑟朗匍匐着爬到克莱顿身边,连声音都提不起来地说:"我们再摸一次好不好?不然,再过几天,我们连吃的力气都没有了,现在让我们两个人中牺牲一个,也许还不至于同归于尽。"

克莱顿这时已经神志不清了,他见琴恩已经三天不开口了,知道她的性命恐怕也危在旦夕,克莱顿当然不愿意琴恩饿死,为了救琴恩,他和瑟朗之间,不如牺牲一个。出此一念,他便答应了瑟朗。就照前次的方法摸,结果不问可知,自然是克莱顿摸到了1875年那一枚。克莱顿问瑟朗:"什么时候动手?"

瑟朗已经从身边摸出小刀来,费力地拔开,说:"就在现在。"他口齿不清地说着,睁着饥饿的眼睛,凝视着这位就要做牺牲的威廉·克莱顿爵士。

克莱顿说:"能不能等到天黑呢?别让波德小姐看见,我们已经订过婚了,怎么能让她看见我被杀死呢?"

瑟朗似乎很沮丧,犹豫了一会儿,说:"好吧!天已经快黑了,我反正已等了这么多天,再多等些时候,也没什么问题。"

克莱顿的声音已经低得听不清楚了:"谢谢你,我的朋友!现在我到她那边去,做最后的诀别,等到太阳落下去的时候,任凭你下手吧!"

克莱顿爬到琴恩身边,见她已晕过去了,预料她没有听到他们刚才的谈话,克莱顿才觉得略微放心。他握起她瘦如枯柴的小手,放在自己干裂浮肿的唇边,紧紧地吻着。

渐渐地,暮色四合。克莱顿知道自己的性命就要结束在今晚了。瑟朗已经在那边叫他了,他答应一声:"我过来了。"他边说着,边想撑起身来爬过去受死,但是他实在没有力气爬过去了。他努力试了几次,都不成功,他确实爬不到瑟朗那边去了。于是他低声央求说:"请你到我这边来好吗?我实在没有力气,爬不动了。"

瑟朗愠怒道:"胡说!你有意逃避,是吗?我可是赢了的。"

克莱顿听他说完,在船底爬了一会儿,只听得瑟朗恶狠狠地说:"我也爬不动了,你却有意耽搁时间,让我上了你的大当,你这只'英国狗'!"

克莱顿说:"我没有捉弄你,我实在爬不动了。我们再来试一下,你也尽力往前凑一凑,这样一个爬一半路,你也可以快些得到食物,好吗?"

他俩挣扎着,过了很长时间,大约有一小时了,克莱顿只移动了几分。不一会儿,他听到瑟朗说:"还是我过来吧!"

克莱顿仍继续向前爬着,当他撑起身子来的时候,却又一次仆倒在船底上了,他实在是没有力气了。最后,他只好仰天躺着,仰望满天星斗,正非常灿烂,他在恍惚中,听到瑟朗爬动的声音,越爬越近了。

最后,他感觉到瑟朗已到他身边了,他听到瑟朗一声惨笑,好像有什么东西触到了自己脸上,克莱顿就失去知觉了。

十九
黄金城堡

人猿泰山在瓦齐里村登王位受贺的那晚,正是他心爱的姑娘在离他二百海里以外的西边,在大西洋的小船上将要死去的一夜。一个兴高采烈,狂歌欢舞;一个饥渴交加,奄奄待毙,恐怕他们自己连做梦也没有想到。

泰山在瓦齐里村登上王位的第七天,就把孟由马人送出境去,并叫他们立誓:以后永不侵犯瓦齐里村。孟由马人受过这一番挫折,又见泰山智勇双全,精明强干,而且言而有信,当然情愿立誓,担保以后决不再做同样的挑衅。

自从老酋长瓦齐里对泰山讲述了他在过去的一次冒险中偶然发现黄金城堡之后,这笔令人难以置信的财富和那神话境界中的城池,就经常在泰山的脑海中萦绕。对泰山来说,尽管探险远比那一堆财富的诱惑力大,但那笔财富毕竟是一种现实中存在的东西。而且,他从文明社会里得知,占有这样一种黄色的金属物是可以创造出许多奇迹的。不过,泰山心里对于有了这样一些黄色财富以后究竟要去干什么,倒也并没有具体想过,此生可以去满足一种冒险的欲望,对他来说已经足够了。

在送走了孟由马人之后,一个明媚的热带早晨,泰山——瓦齐里人的新酋长，挑选了五十个身强力壮的黑武士，为探险和追求财富而轻装上路了。他们按照瓦齐里老酋长所描述的路程走去，一连走了好多天。他们跨过了一条河，翻过了一座不算太高的分水岭，又渡过了第二条河。到了第二十五天，又跨过了第三条河，来到了一座高山脚下。他们希望在爬上这座山的山顶之后，一眼就能俯瞰那座神奇的宝城。当晚他们就在山脚下的一个山洞里过了夜，大家相信离黄金城堡已经不远了。

第二天一早，泰山带着部下，向山顶攀登。越到高处，路越险峻，到了极难走的地方，必须攀藤附葛才能走过。这令五十名武士个个筋疲力尽、气喘吁吁，只有泰山并不觉得怎么累。到了中午，他们才爬上了最高峰，立在绝顶之上，向四周一望：左右都是崇山峻岭，峭立如屏，距离底下的山谷有几千英尺远。回顾来途，谷深树密，就连他们来时走过的那条路都像一条断断续续、弯弯曲曲的带子，有些地段已经隐而不可见了。再往前看，是一片并不广阔的荒凉山谷，其间乱石纵横，小树从石缝中长出。顺着山谷往前看，离开山谷很远的地面上，浮现出一个隐隐约约的城市，城市里有高大的建筑物，有螺旋式的屋顶，有尖塔，在明亮的日光照耀下，越发显得金碧辉煌，只是距离太远，看不大清楚。泰山猜想，在那个城市里，一定有许多街道、集市、庙宇、宫殿，可能是十分热闹的。

他们在山顶上瞭望了好长时间，泰山率领部下寻路下山，向着前面的山谷走去。黄昏时才走到城边，城墙约有五英尺多高，但有些地方已经坍塌了。泰山用眼睛丈量了一下，坍倒的城墙长约有一二十英尺。尽管如此，整座城池还是很坚固的，若是强攻，恐难攻下,大家就在这里停住了。泰山好像看到城墙里面有人影来往,他怕惊动了城里的人,当夜就在城外安营住宿。到了半夜,大家刚刚睡熟,忽然被一种怪声惊醒了,声音是从城里传来的,像许多条尖嗓子一齐在嘶叫,起初很高,后来慢慢低下去,在半夜里听着,声音异常凄厉。天亮之后,大家回想昨夜的怪叫声,余悸犹存,还有些不寒而栗,于是武士们纷纷要求泰山回瓦齐里村去,过太平日子。泰山多方劝导,叫他们鼓起勇气来,但那些胆小的瓦齐里人还是站在那里,无论如何也不肯移动脚步。泰山感到无计可施了,只好装出发怒的样子说:"你们既然不敢进去,那我只有独自去了。"那群瓦齐里人想了想,不好让酋长一个人去冒险,只好跟着同去。

沿着城墙约走了一刻多钟,忽然看到城墙有一个缺口,约有一英尺多宽,缺口下面有石阶,长约几十级,石阶中间都十分光滑而且凹陷,好像许多年来不断被人踏过一样。

泰山侧身走过这狭窄的缺口,武士们在他身后也鱼贯而入,沿级直下。转了个弯,是一条平坦的小巷。他们继续往前走了一会儿,前面渐渐宽阔起来,好像进到了一个庭院里。这个庭院的石墙也和外面的墙一样高,从墙里穿出去,又是一条夹道,夹道尽头有个门,从门里过去,看到一条宽阔平坦的石板路。路的两边都是宏伟高大的石屋,不过看上去都很陈旧破败了。其中有一间石屋还比较像样,四周种着乔木,石壁上苔藓斑驳,在这绿色苔痕的墙上嵌着百叶窗。屋顶是大圆顶,门前两边有许多很高的石柱,柱的顶端雕刻着石鹰,气势非常庄严。

泰山看了,心里不禁暗想:在这荒僻的非洲,居然能找到比文明社会更宏伟高大的建筑,不能不说是件稀罕事,看样子像很有些年代的古物,阴森森的,如同走进了古墓一样。在石壁后面,隐隐约约好像有人走动,只是看不清楚。泰山想起了从前在巴黎图书馆曾经看过一本书,记载古代有一支白种人飘落在非洲,这些古建筑也许就是他们的遗迹?不知现在是否还有他们的后裔存在?眨眼间,泰山又瞥见石壁后面有人影一晃,于是他喊带来的武士们:"跟我来!到这墙后面去瞧瞧!"那些武士都不敢进去,可是泰山已经进去了。瓦齐里族人还是讲究忠义的,见酋长进去了,不敢违抗,只好跟在后面,心里却非常害怕。如果昨夜的怪叫声这时候再响起来,他们一定会不顾一切地转身逃跑。

泰山走进屋子,似乎感觉到有很多只眼睛在盯着他看,还听到两旁的走廊里有人走动的脚步声。屋里的地面都是方形的大理石铺成,非常光滑,只是积了不少灰尘。四面墙壁也是用大理石砌的,还雕刻着各种人物和走兽。有几个地方嵌着金牌,泰山走近仔细看看,果然是真金铸成,上面还镌刻着古高卢的象形文字。穿过这间石厅之后,后面连着还有几间石室,房间都是一模一样的,只是规模较小,雕刻的东西也有所不同。有一间石室的柱子全是金的,有一间地面完全是金的。泰山不禁吃惊地想到,从前看见文明社会的建筑,虽然富丽堂皇,但斥资的金额却远不如这里高,由此可以想象,当初这个宏伟建筑的主人才可称为世上无人可比的富翁呢!穿过石室之后,来到一道极其阴森黑暗的长廊,瓦齐里人来到这里都不禁胆怯,他们纷纷要求泰山回到有太阳的地方,他们认为这种暗如墓穴、伸手不见五指的地方,一定藏着鬼怪,走进这种阴气逼人的地方准会招灾惹祸。比苏里低声对泰山说:"酋长!你的神勇,我们是知道而且佩服的,但是鬼怪不是常人所能抵抗的,它能张口吞人,任你什么英雄好汉也没办法。我的舅舅是个巫医,他常对我说,鬼怪是得罪不起的,若侵犯了它们,一定会遭殃。恳求你听我的劝告吧!免得招来杀身之祸!"

泰山听了,微微一笑说:"好的,你们退回到外边有太阳的地方去等我吧!让我独自进去,探寻黄金,同时看看还有没有别的宝物。等我叫你们进来搬运黄金的时候,你们再来帮我。现在快出去吧!呼吸些新鲜空气,养精蓄锐,以后有你们出力气的时候!"武士们听了,立刻跑出去,但比苏里和另外几个勇敢而且忠于泰山的武士,还是不愿离开他,不肯让他们的首领独自去冒险。正在这时,那种怪叫声又像昨夜一样,从四周响起来了,吓得比苏里和几个武士毛发直竖,拼命向外逃走,一个也没有留下。

泰山仍旧站在那里,一动也没动,他心里觉得非常好笑,想着倒要看看有什么鬼怪出来。但是,等了许久,再也听不到怪叫的声音了,侧耳细听,好像有人赤着脚在地上走动的声音。这下更引起了泰山的好奇心,他更想知道这里的秘密了。于是他鼓足勇气又往前走,穿过了好几间房间,最后走近了一间关着门的屋子。他试着推了推,看能不能进去,他用力推着推着,那怪叫声又从房里发出来了,而且渐渐逼近他身边了。

泰山没管这些,仍旧用力推着门,泰山推得越使劲,门里的怪叫声越高,好像门里面的什么东西对泰山的行动觉察得一清二楚。泰山想:这里边一定藏着什么秘密,不然,为什么门关得这么牢固呢?于是他用肩膀去撞门,猛力一撞,那门终于"呀"的一声开了。里面非常黑暗,屋里没有窗户,一丝光亮也透不进来,他用枪柄当拐杖用，点着地面，试探着往前走。他进来之后，那扇门在他背后"砰"的一声就关上了。泰山只觉得四面伸出许多只手来抓他，他转身挥舞长枪，左挑右刺，奋力抵抗着。接着，又多了几只手伸了过来，泰山的枪被他们抓住了，而且抓枪的手使劲在拖。那些怪物似乎越来越多了，慢慢靠近泰山，把他包围了起来。忽然，泰山被什么东西绊了一下，跌倒在地上，被他们按住，手脚被他们捆绑起来了。此时的泰山虽然看不见他对手的形状，也听不见他们的声音，但泰山凭他灵敏的嗅觉，已经判断出和他为敌的也是人类。

不一会儿，他们将泰山从另一扇门里拖了出来，七手八脚，推的推，拉的拉，转弯抹角，一直拖到另一个庭院里。在这里泰山才看清楚，捉拿他的怪物，原来是一百多个短小矮胖的人，满脸长着胡须，直拖到胸口上，头发蓬乱，散披在肩上，胸口上也有毛，腿部短而粗大，手臂也很短，肌肉却十分发达，腰间围着兽皮，脖子上挂着狮或豹的爪子。腿上和臂上都套着金钏，每个人的腰带上都佩有武器，手里拿着粗重的锤。

这些矮人的皮肤并不像非洲人那么漆黑，比起来倒有点像白人，若专就颜色而论倒和泰山差不多。不过他们脸上的模样非常可怕，额角低，眼睛小，鼻子扁，牙齿黄，十分丑陋。最初泰山没听见他们说话，只在黑暗中摸索着打斗，现在听见他们说话了，声音唧唧呱呱，根本听不懂他们在说什么。泰山只见他们似乎商量了一会儿，忽然迈开短短的腿，向另外一扇门走去，陆陆续续离开了庭院。

泰山被捆绑在庭院里，躺在地上，一动都不能动，四周都是高墙，头顶上只露出一小块天空，在较远的一面墙上有百叶窗，窗里和走廊上，不时有人探出头来，闪着鬼火一样的小眼睛，仿佛在偷看自己，然而这些人都不出声音。

泰山稍稍挣扎了一下，觉得身上捆着的绳索并不怎么紧实，凭着自己强大的体力也不难挣脱，但是他现在还不想这样做，他打算等到天黑没有人注意时，再设法逃出去。

日光照在庭院中心，已是正午时候了，只听到庭院上面有噔噔的脚步声，好像有人从上面走下来。上面的各扇窗户，也有人探出头来。陆陆续续地有二三十个人，都到庭院里来了，大家仰起头来，对着太阳，低声唱起歌来。过了一会儿，歌声渐渐低了，人们却徐徐地跳起舞来。舞了一阵之后，那些家伙又痴然呆立，抬起头来望着太阳，脸上有一种虔诚愉快的表情，样子非常可笑。

过了十几分钟之后，那种单调的歌声，又缓缓地唱起来，然后，矮人们慢慢向泰山走来，走到被捆绑着的泰山跟前，忽然发出一声叫喊，每个人的脸都陡然变得狰狞可怕，举起手里的木锤，想要一齐打下来。正在这时候，从人丛中闪出来一个女子，手里拿着金锤，上前拦住了这群恶狠狠的人。

二十

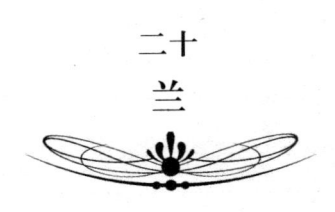

兰

　　泰山正在闭目等死,忽然听到四周又寂静下来,睁眼一看,见一个女郎来救了他,看看那女郎,却与自己素不相识,感到大惑不解。泰山转念一想,不免又替那女郎担心起来,因为那女郎身材纤细,绝不是这群粗壮矮人的对手,若她为了救自己得罪了这群怪人,可是要遭殃的。然而他看了看四周的矮人,脸上没有怒容,只是围着泰山又跳起舞来,那女郎口中也念念有词,像在诵经。泰山这才恍然大悟,原来这演戏一样的一套把戏,很可能是他们的一套宗教仪式。

　　没过几分钟,那女郎从腰间抽出一把刀来。泰山以为她要杀自己了,然而女郎却用刀割断了泰山腿上捆着的绳索。这时,跳舞的矮人也止住了舞步,围拢过来。那女郎扶起泰山,用很快的动作,把他腿上的绳索,绕在自己颈项间。她拉着泰山走出了庭院,其余的人也有次序地跟在后面。他们走了不少曲折回环的路,穿过了许多庭院,最后来到一座大殿上。殿的中央是一个祭台,四周有殷红的血迹,墙边堆着许多白骨。泰山至此才完全明白,这里就是专为奉祀祭神、举行仪式的地方。原来这些怪人是古代太阳教的后裔,所以等太阳照到泰山身上,就拿他做牺牲,算是太阳选中了他做祭物。至于那女郎急急走来拦住众人，并不是想救泰山，原来她是这教里的女祭司，是特地为了执行她的职责而来的。

女祭司领着泰山，走到祭台前面。这时，靠东南角落的一扇门开了，走出一群女郎来。她们的装束很像男人，腰间也围着兽皮，用皮带或金带缚着，长发披肩，用金圈束着，分为五绺，用小金环挽在头顶上，从金圈的两边，挂着连环金串，一直垂到腰部。她们的样子虽不十分美丽，却还有几分秀气。每一个女郎都拿着两只金环，走到祭坛前，和那些男人一字排开。那些男人走过去，从她们手里拿过一只金环，大家又一齐诵起经来。过了一会儿，从祭坛后面的黑暗处，又走出一个女祭司来。泰山猜想，才走出来的这个女郎，一定是女祭司的首领。看她的面貌，比第一个女祭司年龄大些，模样却十分秀丽。当她走到祭坛前，大家就停止了歌声。泰山抬眼看看她的装束，比其他的人都华丽，金首饰上嵌着宝石，腰间围着豹皮，用金链束着，挂着一把镶宝石的长刀，臂上和腿上套满了金钏，以至看不到她的皮肤了，手里还拿着一根小手杖。她款款走到祭坛前，嘴里也一样诵着经，四周的男女都朝她跪下。泰山听着她悦耳的声音，看着她娇美的风韵，几乎很难相信她是个杀人的女性。泰山心里暗暗惊叹，真没想到在这种地方，能看到这样美丽的女子。然而祭坛上明明放着一只金杯，准备由她的刀杀人之后盛血用的。周围这一切设置和气氛，和她的天生丽质，竟是如此的不谐调。

当她诵完咒语，转过脸来端详泰山的时候，脸上顿时显出一种惊奇的神情。她对泰山讲了几句话，似乎在等待泰山回答。泰山说："我听不懂你的话,请你换一种语言说好吗?"

她似乎也听不懂泰山的话,于是泰山换用法语、英语、阿拉伯语、瓦齐里语,最后用非洲西海岸的土语对她说,竟没有一种语言能让她懂,她一直在摇头。泰山看她的神情,似乎非常失望。于是她只好抽出雪亮的利刃来,放好了金杯,准备履行她的职责。

泰山被他们扛到祭坛上,重重地摔了一下,一阵晕眩,昏了过去,过了好久才慢慢醒过来。睁开眼睛一看,只见那美女站在他面前,左手托着金杯,右手拿着宝刀,正要向泰山胸口刺过来。

宝刀尖刚要接触到泰山的胸口时,突然她又犹豫地停住了,引起了下面一阵骚乱。她回头去看,泰山也不禁斜过眼睛去观察,只见一个面目凶恶的大汉像一头狂怒的狮子,舞着手里的木锤,见人就打。有一个女郎被他当头一锤,脑浆都打出来了,倒地而死。那些男人虽然举锤招架,但没有一个人是他的对手,几个动作灵敏的矮人,早已躲到一边去。只见那恶汉一路冲过来,身边已经死伤了许多,横七竖八地倒在地上。

除了死伤者外,人们都逃光了,现在这间殿堂里,除了这疯狂的怪人之外,只有躺在祭坛上的泰山和站在他身边的美女。那美女吓得全身打颤,四顾没有躲藏的地方,她正要呼救,那凶汉已跟跟跄跄奔上来了。他凶神恶煞地走到她面前,开始对她说话,泰山一听,这怪人的话他却听得懂,原来他说的是猿语,就是泰山在喀却克一族中惯用的语言,那美女回答的也是猿语。泰山听那狂人所说,都是一派无理取闹的话,他威逼着她,她哀求着他,看来,美女的哀求没有效果,他越来越逼近她了,伸出他可怕的毛手,要抱那美女。

泰山趁着这时没有人注意他,就用力挣断了两臂上的绳索,那美女只顾逃避自己面临的危险,已经没有其他精力去注意泰山了,自然不知道他已挣脱了绳索。泰山滚下祭坛,爬了起来,站定了去看时,却不见那怪人和美女的踪影了。忽然他听得祭坛后面的石洞旁边,美女在大声呼救。本来,此时正是泰山逃跑的好机会,可是强男欺弱女,未免激怒了他。泰山忘了自身的危险,一个箭步跳到石洞处。

泰山细听呼救声在石洞里面,他就进了石洞。下面原来有石梯,里面很黑暗,他辨不清该往哪个方向走。他正在犹豫,听到对面地上有人扭打的声音。他定神一看,那狂人正掐住美女的喉咙,使她挣扎不得。泰山立即伸出他那铁钳一样的手臂,抓住那疯狂怪人的肩头,只轻轻一拖,那怪人已身不由己地被拖过来了。那怪人一看,竟是祭坛上的祭品,怒不可遏,跳了起来,张开血盆大口,圆睁怪眼,大吼一声,完全像只野兽一样,向泰山直扑过来。

那怪人手中的锤已掉在地上,他只有双手和锋利的黄牙和泰山搏斗,竟忘记了佩在身上的短刀。泰山自然不甘示弱,扑了上去,两个人扭打在一起,拳脚交加,口咬手抓,打得不可开交。那位女祭司已经爬了起来,身体紧靠在墙壁上,睁着恐惧的双眼,看着这一对野兽似的人要拼个你死我活的架势,像吓呆了一样,竟也忘记了逃走。

打斗了很久时间,怪人体力渐渐不支,泰山终于占了上风,把那怪人摔倒在地上,一只手掐住他的脖子,用他那钢铁般的拳头,雨点般向怪人砸下,不到几分钟,那怪人滚在血泊里,一命呜呼了。泰山不自觉地又按照旧日习惯,一只脚踏在死者的背上,仰起头来,准备长啸一声,表示胜利。但是他忽然醒悟到,自己被当做祭品,还身在牢笼之中,不便于自鸣得意,于是便停住了。

那女祭司对于这场恶斗,一直紧张注视着。到此时,她非常感激泰山救了她,然而她现在看泰山,凶猛强悍,比被他打死的怪人,有过之而无不及,又不禁害怕起来。她刚想要逃走,泰山一个箭步跳过去拦住了她。

"慢着!"泰山用喀却克族猿语说。

她停住脚步,定定地看着泰山,大为吃惊,也用猿语问他:"你是谁?怎么也会讲原始人的话?"

泰山说:"我是人猿泰山。"

"你为什么要救我呢?"

"我不能看着一个弱女子被人无故杀死。"

那女祭司又问:"那么现在你打算做什么呢?"

泰山说:"我不要求别的,你能救我出去吗?"

泰山原以为她还会把他捉回去,做祭坛上的祭品,以尽她未完成的职责。但泰山现在已有了武器,从死去的狂人身上解下来了一把短刀,再想捉住他,恐怕没有以前那么容易了。

那女祭司对他凝视了许久,缓缓地对他说:"你真是一位英雄。我常幻想,我们的祖先一定也是和你一样的。你可知道,我们的祖先为了这里的财宝,想尽了千方百计历经了千辛万苦,才到这蛮荒的地方,筑造了这座大城池。如果他们没有超常的武艺,怎么能成功呢?我从小就相信,凡是真正的英雄,一定像你这样,身体魁梧,面貌英俊,所以刚才在祭坛上,我开始看见你时,就吃了一惊,我们这里很少见到你这样仪表堂堂的人,及至看到了你的武功,更觉得,你不是我们这里野蛮族中所称英雄的人可比,但是,令我不明白的是:你为什么到这里来?你为什么要救我?你为什么不把我当做敌人,来报我们的人捉你、绑你、要杀你之仇呢?"

泰山回答说:"我知道你是信奉了一种宗教,日久成了习惯,自然会遵行宗教所规定的一切,而不是你有意要杀我的。所以我不怪你,只痛恨你们的宗教,让你们愚昧,让你们滥杀无辜。但是,你还没有告诉我,你到底是谁?你们到底是哪一种族的人?"

那美女答道:"我叫兰,我是这里奥泊城太阳庙里的高等女祭司。我们的祖先在几千年以前,从海外一个国度到这里来开采金矿,我们就是殖民始祖的子孙。我们的祖先很有本领,也有雄厚的财力,所以创立了这样的基业。但他们每年都要回祖国去住几个月,他们不能忘掉自己生于斯、长于斯、亲族骨肉葬于斯的故国。他们走的时候,大多在雨季,这里只留下永久居住的教徒、商贩、兵士和管理黑奴的人们。据说他们最后一次回国,就再也没有回来。这里留守的人等了许久,仍旧音信杳然。我们这边的人也驾着船去找过,结果找了几个月,仍如石沉大海。我们曾经派人到祖国去找,据回来的人说,连故国原来的地方也没发现,可能遭了什么自然灾害,连地形地貌都改变了。从那时起,我们就和外界隔绝了,种族的势力也一天天衰败下来,人丁骤减,精神状态也萎靡不振,地盘渐渐缩小,现在只剩下这个小城了。种族之内由于近亲繁殖,人种也不断退化,一代不如一代,直到现在，几乎和人猿差不多了。我们和人猿共居在一个区域，已经有好多年代了，我们的人也变成了原始人，讲着半人半猿的语言，原先固有的语言只有在庙里通用。有时，我们甚至完全讲猿语，正如你刚才所听到的。再过若干年之后，也许我们就会退化得与野兽无异了。"

"但你怎能比其他人文明得多呢？"泰山问。

兰说："女人和男人比起来，不容易受同化。当年回国去没有再回来的那批男子，都是很优秀的，留在这里的，却都是庸碌无能的人。只有留在这庙堂里的女人，倒是比较有知识的，因为我们祭司这个职务都是由母亲传给女儿的。我们的丈夫，也都是从优秀男人中挑选出来的，一般平庸无能的男人，是绝没有当祭司丈夫的资格的。"

泰山不无嘲讽地大笑着说："哦！怪不得刚才我看见的那一排男人，从外貌看来，果真是非常优秀的。"

她听了泰山的话，一时没明白他的意思，过了一会儿，终于回过滋味来了，说："你不要取笑，在宗教里，他们可都是有道的人。"

"那么，这里除了他们，还有面目比较清秀的人吗？"泰山又问。

"其他的人你没见到，样子比他们可怕多了。"

泰山心里不免替她惋惜，这样面貌姣好而又聪慧的女子，一生的幸福竟断送在宗教上，太可惜了。但他此时无暇多想，他不能不担忧本身的处境。问那女子道："你准备把我怎样处置？你能救我出险吗？"

兰神情严肃地说:"太阳神要谁做祭物,谁都性命难保。假如你再被他们看到,我也没法救你了。但我不愿他们再看见你,因为你救了我的命,我当然应该报答你。然而这很不容易办到,也许要费很多时日,等待机会。不过我相信,我一定能救你出险,快跟我来!别让他们再看见你,假如他们看到我和你谈话,连我的性命也难保呢!他们会说我有意违背神的意旨。"

"如果是这样,你就别救我吧!我估计,我自己设法也能逃出去,因为你救我担的风险太大了。即使你救了我,我心里也不安!"泰山立刻坚决阻止着她。

但她又坚决不愿意接受泰山的劝阻,无论如何要救他脱险,她诚恳地要求泰山跟她走,说:"你现在出去,反而使我担嫌疑,不如你先藏起来,让我独自回去,告诉他们说你打死了那个疯狂的人,我因受惊过度晕过去了。我醒来之后,不知你逃到哪里去了。这个说法入情入理,他们会相信的。反正当时他们都逃光了,没有一个人在场。"

她急忙拉了泰山的手,经过了许多黑暗的走廊,来到一间小小的石室门前,说:"这里是一间阴牢,平时不会有人来。他们绝不会想到你在这里,他们之中谁也不会有勇气到这里来冒险找你。你在这里放心藏着,天黑以后我再来。那时,我们再商量逃走的方法。"

她说完就走了,剩下这位格雷斯托克爵士独自闷坐在奥泊城的阴牢里。

二十一
遭难的人们

威廉·克莱顿晕过去之后,隔了许多时间才醒过来,只觉得浑身湿透了,像在水里泡过一样。他还以为自己在做梦。睁眼仔细一看,原来是下过了一场大雨,他晕过去倒在船板上时是脸朝天的,不知不觉已经喝了很多雨水,身上比以前舒服多了。他慢慢地举起手来,把湿透的衣襟抓过来,又吮吸了一会儿,勉强支撑着能坐起来了。他看见瑟朗也晕倒了,横在自己腿上;琴恩离他约有十步光景,也晕倒在船底,一点声音也没有。克莱顿知道琴恩已经处在很危险的境地,赶快推开瑟朗,爬到琴恩跟前。他从船底上捧起她的头来,看看她还有没有呼吸。这时的克莱顿,不觉心头一酸,眼泪不由自主地滴了下来,可怜这样一个美丽而有教养的姑娘,此时脸上一点血色都没有,呼吸已十分微弱,怎能不令人难过呢?克莱顿抱着一线希望,扳开她青肿的嘴唇,拿自己淋湿的衣襟,拧着使它滴下水来滴在琴恩嘴里,试图润湿她的喉咙,以挽救她的生命。

威廉·克莱顿含泪观察着她,等了好一阵,才见琴恩眼睛微微动了一下,似乎费了很大力量,才把眼睛睁开了一半。威廉握着她那瘦得像枯柴似的手,替她揉着,手上才见了点血色。他又挤出几滴水,滴进她口中。她慢慢睁开眼,向他呆望了许久,好像在努力回忆着什么。最后她微笑着说:"有水了吗?我们可以活命了吗?"

"下了一场大雨,暂时给我们解了干渴。"

琴恩问:"瑟朗呢?他没杀死你吗?难道他自己死了?"

克莱顿说:"刚才他枕在我腿上,我把他推开了,不知道他死了没有。如果他没死,这场雨也能救了他……"说到这里,他忽然住了嘴,怕他们之间残杀、吃人的事会惹起琴恩伤心,其实他并不知道,他和瑟朗在昏过去之前的一段对话琴恩都听到了。她问:"他现在在哪里?"

克莱顿向瑟朗躺的方向指了指,两个人默然了许久,都没有开口。后来还是克莱顿打破了沉寂,说:"我过去看看他,给他点水,也许可以把他救醒。"

琴恩抬手拦住了克莱顿,说:"不要!你去救醒他,他岂不还要杀你?如果他死了,就让他平静地死去算了,这样人面兽心的家伙,死了也没什么可惜。况且,你若被他杀了,丢下我一个,我更没有力量对付他。"

克莱顿听了琴恩的话,也觉有理,不免犹豫起来,但总觉得见死不救,似乎太不应该。他正在踌躇之间,偶然一抬头,万分意外地看到了陆地的影子,这可真是绝处逢生了!他忍不住惊叫起来:"看!琴恩!快看!陆地!陆地就在我们前边了。"

琴恩听了,挣扎着起来,抬头往远处望去,果然在距离不到一百英尺的地方,已能看到一片黄色的沙滩了,更远的地方还有着浓密的森林。

琴恩说:"现在你去救瑟朗吧!"因为她觉得能上岸,就不难找到食物和水,不必再怕瑟朗为活命而想吃人了,救活他也不会有什么危险。

克莱顿费了好大力气才用雨水把瑟朗救醒。当瑟朗睁开眼时,船已搁浅在沙滩上了。克莱顿跳上岸去,先把缆绳拴在一株小树上,这时大家心里的高兴,真是语言难以表达的。

上岸之后,克莱顿做的第一件事就是到附近丛林中去采集野果,就像从前泰山在丛林里做的一样。他自己先就地吃饱,然后尽可能多带一些回船去,分给琴恩和瑟朗。

这时候,炎炎烈日又晒起来了,他们身上被晒得火辣辣的。琴恩提议到岸上去找个地方躲一躲,于是克莱顿扶着她,到离船不远的树荫下倚树而坐。海上这么多天来的奋斗,已经使他们筋疲力尽了,一到树荫下,三个人都躺在地上熟睡起来,一直睡到天黑。

他们三个人住在海边,不觉之间,一个月已经过去了。经过一个月来的休养,克莱顿和瑟朗的体力,好像已经恢复了。他们找了一棵合适的树,在树上合力搭了一间离地很高的小屋,可以躲避野兽的袭击。白天找些野果,或捉一些小动物充饥,晚上就躲入这半屋半巢的小屋里。入夜睡觉的地方,分成两个部分,琴恩独占一部分,克莱顿和瑟朗合住另一部分。这树上的小屋,虽然简陋,布置得还算舒适,底层是用象耳叶铺的,松松软软,用小树枝把中间隔开,上面用树枝搭成篷状,再用树叶覆盖,以避风雨。

俗话说"江山易改,秉性难移",这话实在是若干代人从生活实践中总结出来的。才过了不久的太平日子,瑟朗奸恶刁猾的恶习又显露出来了。有两次克莱顿竟和他打了起来,因为他对琴恩太过分无礼了。克莱顿体力不能算好,不能制服瑟朗。琴恩面对这种情况,心里十分难过,有时不免想起泰山来,觉得假如有他在,不要说这个下流小人,就是毒蛇猛兽也当不了一回事。若是照目前这样下去,虽然克莱顿经常见义勇为,打抱不平,但他性格身体都不能算强,终究不是这俄国流氓的对手,自己又是个女子,长此以往,可如何是好?有一次,克莱顿去找水,走远了,瑟朗又对她说了些极为无礼的话,琴恩终于忍不住了,说:"可惜你说的那位泰山先生掉到海里去了,现在如果有他在,绝不容你如此放肆!他是同你和海兹尔小姐在开普敦一起登船的,你不会忘记这个人吧?"

"你也认识这个畜生吗?"瑟朗用一种轻蔑的态度说。

"我只知道他是一位高贵的上流人物,是一位有道德的君子。"

瑟朗听琴恩如此赞扬自己咬牙切齿痛恨的人,心里很不是滋味,于是捕风捉影地造了一些谣言来中伤泰山。他说:"君子?好个伪君子!我可见识过他的道德!简直不如畜生!而且是个最怯懦、敢做而不敢当的人。有一次,他极不知耻地引诱一个有夫之妇,被她丈夫知道了,要约他决斗,他吓得不敢答应,还居然把罪名都推到那个女人身上。后来她丈夫死死追寻着不肯罢休,他被逼无奈,才不得不乘船逃走。亏你还称他为君子,这件事我知道得非常详细,而且千真万确,因为那受了愚弄的女人就是我的亲妹妹。我本来不打算把这件事对任何人说起的,一来宣扬出去,我妹妹脸上也不光彩,二来这畜生已自杀了,我何必还给他扬恶名?现在,你既然把他捧得这样高,我就不能不把这些都说出来了。冤家路窄,偏偏在船上遇见了我,他心里明白我会揭他的老底,我约他第二天早晨用刀决斗,他自知逃不过我的手心,才被迫无奈、跳海自杀了。"

琴恩听了,毫不迟疑地说:"凡是神智正常的人,谁都会看得出泰山的人品,也会看得出你的人品,任何人都不会相信你这番话。"

瑟朗说:"随便你信不信,事实总是事实。他为什么改名换姓?这件事你怎么解释?"

琴恩依旧摇摇头说:"反正我无法相信你那篇鬼话。"她对泰山的信赖,并未被瑟朗的一席话所动摇,但对瑟朗最后提出的问题,她也不能不有所疑虑,为什么泰山对海兹尔小姐也说自己是伦敦的约翰·考德威尔呢?

离克莱顿和琴恩他们所住的地方再往北五英里就是泰山的海滩小屋,可惜他们一点也不知道。再从海滩小屋向北走几英里,在茅屋里住着十五个人,就是失散了的另外三条救生艇上的人。他们比克莱顿这条小船上的人命运好些,在游艇沉没之后,他们趁风平浪静,一直向东驶去,第三天就登岸了。这三条船上的人都以为克莱顿那条小船或许会遇救,不久会带了大船来救他们。他们的食物还是从泰宁顿的船上带去的,他们根本不知道克莱顿船上没有食物。他们的船上还有枪,随时可以猎取些小的野生动物,所以他们绝不愁缺少食物。

只有波德教授像是根本没遇到什么海难一样,脑子里只装着他想研究的东西,整天还是搞他的学问,此外什么事也不管。他也欢笑如常,因为他断定女儿一定会遇救的。可是,这个小团体里另外的人都不时为这位老先生担心,有时他天真得像个孩子,一不留神就一个人窜到丛林里去了。有一天,菲兰得气喘吁吁地跑来对泰宁顿说:"我真拿这位波德教授没办法!今天早晨我才离开他不到半个小时,我回来时就不知他的去向了。你猜他到哪儿去了?他竟独自驾着一艘救生船,拼命向海里驶去,离岸已有半海里了,他一个人划得还很起劲,你说这有多危险!我赶快叫了一个水手放开另外一条小船去追他。好容易追上了他,谁知他倒大发脾气,对我嚷起来:'你为什么要妨碍我的行动?各人有各人的自由,更何况我有非常重要的事呢!我昨晚在树林里发现了一样东西,觉得有疑问,所以要赶回纽约去取本书来查查,这可以证明我的一条理论呢!你有什么理由干涉我?'我费了好多唇舌,才连哄带劝地把他劝回来。看这样子,真让人无法放心,我看,得有人时刻守着他才成!"

至于海兹尔和她母亲,平日养尊处优,实在过不惯这种野外生活,心中非常忧郁。到了晚上,丛林里野兽乱吼,她们连觉都睡不安稳。她们有时想起琴恩、克莱顿、瑟朗他们,又不免为他们的安全担心。还有那黑女仆爱丝米兰达,常常哭泣,总不放心她亲爱的琴恩小姐。

泰宁顿却是很关心海兹尔母女,常常想出各种方法来安慰她们。游艇上同来的水手都还服从泰宁顿的指挥,因为他恩威并用,处理问题公平妥帖,所以水手们也都安分守己,没有人胡乱滋事。如果这里的十五个人有机会看到在他们南边相距几英里的地方那两个穿着破衣服的人,他们恐怕会认不出这就是"爱丽丝女士"号游艇上失散的伙伴吧?

克莱顿和瑟朗因为常到丛林去采野果,衣服总是被树枝和荆棘挂破,现在几乎是衣不蔽体了。琴恩不大做这些艰苦的工作,倒还和从前差不多。

克莱顿见到琴恩总感到不好意思,所以把猎来的兽皮储存起来,用树枝把它们撑开,刮去油脂、晒干,再用荆刺做针,干草当线,虽说做起来十分费劲,然而总算连缀起来,勉强做成一件衣服了。但这种衣服是没有袖子的,一直拖到脚跟,可以说是奇形怪状。后来瑟朗也依样画葫芦,做了一件。两个人如此着装,简直像野人一样。

这样平安地过了两个月,不幸的事又发生了:瑟朗患了疟疾,睡在树上的巢里,盖着树叶,整天呻吟。有一次克莱顿到林中寻找食物,去了很久,琴恩在树上望见他回来了,下树来迎接他。但见在克莱顿身后,竟跟着一只硕大的狮子,眼看就要向克莱顿扑过去了。克莱顿却没发觉身后有东西,他迎着琴恩走来。琴恩急得惊慌失措,只睁大了眼睛,呆望着克莱顿,连喊都喊不出来了。克莱顿发现琴恩脸上的神情不对,回头一看,原来一只大狮子离他最多只有三十步左右了,他一下子吓呆了,不知如何是好。

饿狮怒吼一声,向他扑了上来。

克莱顿狂喊一声:"快跑!"提醒琴恩快逃走。但琴恩已吓得面无人色,两腿也不由自主了,目瞪口呆地站在那里,像被钉子钉住了一样。

瑟朗听得下面吼声加喊声,探头一看也吓得魂飞魄散,脱口用俄国话喊道:"快跑!快跑!不然只有留我一个人死在这里了!"他说着就抱头大哭起来。狮子忽然听到树上有声音,抬头望去,扑的动作自然就停了下来。克莱顿现在完全可以乘机逃跑或抵抗,可是他已经吓坏了,转过身,背向着狮子,蹲在地上,抱头等死。琴恩在恐惧中看见他,心想:他为什么这么怯懦呢?就是死,也要死得勇敢一点啊!如果换成泰山,他一定会和狮子决一死战。

这时,狮子又张牙舞爪,第二次扑上来了。琴恩跪下,闭目祷告,不忍看这狮子吃人的场面,瑟朗干脆吓昏过去了。还没等狮子扑上来,克莱顿已吓得双腿打颤,动都动不了了。

琴恩闭着眼,听到了一种奇怪的声音,她睁眼一看,惊奇得像在做梦一样,低声喊道:"威廉!你看哪!"

克莱顿许久才敢抬起头,慢慢试探着转过身看那狮子,他一下子也发出一声低低的惊呼,原来,快扑到他身边的那只狮子,不知怎么竟死了!他站起来细看,狮子身上中了一枝毒箭,从右肩进入,穿过了心脏。克莱顿又转过身来看琴恩,她连急带吓,已经瘫软无力了。于是他走过去,扶着她站起来,让她的头靠在自己肩上,他想低头去吻她,以庆贺这次神奇的死里逃生。

琴恩轻轻推开了他。

"请你别这样,威廉!"她说,"在刚才这短短的时间里,我好像生活了一千年,在死亡面前,我终于学会了该怎样生活。我没有必要再伤害你,可是,我真的再也无法忍受那勉强婚约而产生的虚假的忠诚,因而在一种不可能的处境中继续生活下去。经过了刚才那个生死攸关的危险关头,生活现实教会了我,不能再欺骗你和我自己了,如果再回到文明社会里,让我做你相称的妻子,那才是毫无价值的诺言呢!"

克莱顿听了,惊愕地叫了起来:"你这是什么意思?我们幸运地得救,难道你惊吓得神经失常了吗?你只是神经有些紧张吧?也许明天你又会完全恢复正常了。"

"不!我认为现在的我,比过去一年里的任何时候都正常。"她回答说,"刚才的事,使我再一次记起那个勇敢的人,他确实给过我真实的爱情,可是,到我明白这一点时已太晚了。他现在如果死了,我绝不会再嫁给别人,我肯定不愿嫁给一个比他胆怯的人,我不会怀着轻蔑的心去嫁给一个怯懦者。你明白我的意思了吗?"

"是的。"他不禁面红耳赤地低下了头,惭愧地说。

到第二天,却又有一次厄运袭来了。

二十二
奥泊城的地下宝藏

现在,让我们回过来,再说泰山那边。入夜之后,女祭司兰回到阴牢里来了,她带来了食物和水给泰山充饥。她没有提灯,一路用手摸着墙壁,走到阴牢。这时,有一线月光反射进来,勉强能看见东西。

泰山坐在阴牢的角落里,耐心地等了很久,最后总算听到了脚步声,走近一看,果然是女祭司。兰看到泰山,第一句话就是:"那些人可真气坏了,因为从来没有牺牲从祭坛上逃走过。他们已经派了五十个人去追你了,庙里的任何一个地方,都被他们找遍了。"

泰山问:"他们为什么没到这里来呢?"

兰说:"这里之所以叫阴牢,是因为城堡里的人都相信,只有阴魂才聚集在这里。活着的人进了阴牢,一定给鬼怪捉去,受刑惨死。假如他们到这里来,岂不是来送死?"

"然而你何以例外,你怎么敢来呢?"

兰说:"我是太阳教中的女主教,只有我能独保平安。因为我的职务就是捉祭物去祭鬼神的,所以我到这里来绝没有危险。"

泰山不禁笑起来问:"那么,我在这里待了这么久,为什么没有鬼怪来捉我呢?"

兰一时语塞,对泰山呆望了许久,才边思索边缓慢地回答说:"这是主教应尽的职责,把古老相传的道理,一代一代传下去,照本宣科地讲给大家听,无论它对或者不对,我由于职责所在,都必须照着上一代人传下来的规矩做。至于我个人信不信,那又是另一个问题了。"

泰山寻根究底地问:"如此说来,你帮我逃走只是怕人们发觉会难为你,却不是怕什么神明显圣来惩罚你了。"

兰直率地说:"是的,那些神明哪里真会管我们呢?他们既不一定保佑我们,也不用怕他们惩罚我们。能不能趋吉避凶,还是在人,我们赶快想办法吧!我觉得这里也不是十分稳妥的地方,就算送些吃的东西给你,都很不容易,我想,还是给你换一个更妥当的地方好一些。"

于是她领着泰山,走到祭坛后面的石窟里,那里黑暗得什么都看不见。然后又走过一条走廊,大约走了十分钟,到一扇门前,她站住了,拿出钥匙打开了门,引泰山进去,并对他说:"今晚你就在这里过一夜,肯定没有危险。"说完她就走了,泰山听到她在外面锁门的声音。

泰山就藏在这间黑屋里,他不知道这是什么地方,黑暗无光,伸手不见五指,他只好用手摸着墙壁,在屋子里转了一圈。这间屋子大约有二十英尺见方,墙壁和地面都是石块砌成的。泰山把四周墙壁都仔细摸了一遍,弄明白了这间屋子除了刚才进来的那扇门之外,再没有门窗。他又一次顺墙壁摸去,摸到了方才进来的门,又高高低低地仔细摸了好一阵,确实没有另外的出路。

泰山在黑暗中忽然觉得,从门对面的墙缝中有风透进来。于是他找到那个地方,用手指摸着找到石缝,用力一扳,居然扳下一块石头来,他用手量了量,这石块大约有十二英寸宽,三英寸厚,整个墙壁都是用同样的石块一块一块砌成的。泰山就顺着石缝,把一块块的石块扳下来。不一会儿工夫,石块已被他扳下了十二块。他伸手到外面去探了探,没有摸到什么东西。又过了几分钟,他探出半个身子去试了试,依然觉得外面空空如也,什么也没有,只觉得外面仍旧漆黑,对面仿佛隐约有一点光。他就从洞里爬出去,到了墙外,用手扒住洞口,把身子挂在石壁上,伸下脚去,想试试下面的深浅,只觉得脚踏不着地。

泰山抬起头来一望,见上面是一个圆洞,露出了一块星光灿烂的天空,他又向四周摸了摸,四周的墙也是石砌的,隐约可以找到砖缝,要用手指拼命地抠稳砖缝才能撑住身体。他这样边向前移动边思索,从石洞里通过来的这个秘密通道,是做什么用的呢?忽然发现,月光从上面的圆洞里照下来,一下看得十分清楚了。泰山低头向下一看,月光映出脚下竟是个水面,原来这是一口有水的古井,自己的身体就挂在井壁上。他还是想不明白,为什么刚才藏身的石屋,会和这口古井有个出入相通的地方呢?

泰山趁着月光明亮,向四周看了看,发现对面的井壁上有个洞。他想从这个洞出去,也许可以逃出危险。于是他把刚才自己挖开的那个洞仍用原来的石块堵住,以防后面有人追来。然后他仍用手指抠着石缝,慢慢移动,钻过新发现的这个洞,向下移动了约有一百英尺的样子。他发现下面有一条石阶,走下石阶之后,又是平地了。顺着平地往前走不远,便摸到前面有一扇坚厚的木门,泰山仔细摸了摸,发现了门闩,便拉开门闩,打开门走了出去。

走出这扇门,原来又是一间方形的石屋,里面堆满了一条一条的东西,用手摸上去有非常冰冷的感觉。泰山试着搬起一条,觉得很重,不像刚才的石块。他心里想:这也许是金条?如果真是这样的话,这一屋子金条的价值,实在够惊人的了。但屋里没有光线,无法分辨究竟是不是,他猜想,也许这只是一种廉价的劣等金属。在屋子的另一角他又摸到了一扇门,向下摸去,门闩恰好是在自己这一边的,泰山又顺利地把门打开,走了出去。外面是一条甬道,泰山又回转来,随手拿了一条他无法断定是什么金属的东西,从这扇门走入甬道。

走了约有半个小时,迎面又遇到一条石阶,是通往上面去的。泰山走上石阶,弯弯曲曲约攀登了十多丈高,到了石阶的顶端,这里有一条很狭窄的石缝,只能容一个人侧身而过,抬头能看见满天星斗,过了石缝又是一条险峻的坡道,站在最高处一块大石上,便可以毫无障碍地向四面瞭望了。

泰山往远处望去,约在一英里路之外,遥遥望见的就是奥泊城。城里的屋顶、塔尖、庙宇,都沐浴在清冷的月光之下,阴沉沉的,显得十分凄凉。泰山把手里的东西在月光下仔细验看,果然是光灿灿的黄金。这时,他心里并没产生获宝后的狂喜,反而不禁有点感伤,面对古城堡,他自言自语地说:"奥泊城啊!奥泊城!好一个黄金宝城,可惜凋敝破败到这个地步。前人建造这座城堡、积聚这么多黄金,不知费尽了多少心力,他们绝不会想到自己的后代子孙这样不争气,几乎退化得和原始人差不多了!"他感慨了一阵,就走下陡坡,到了平坦的山谷中间,这一段地带正是昨天和瓦齐里族武士们经过的地方。

夜色渐渐退去,太阳又升起来了,泰山爬上了通往外面的山岗。只见缕缕炊烟从山下的林子里冒出来,他暗自想道:"有人在那儿烧火,或许就是追我的那五十个奥泊城的矮人吧?"

他决定走到近处去看看,想探查个明白,看究竟是什么人。于是他纵身上树,朝着冒烟的地方走去。到了那里,向下一看,不禁喜出望外,原来不是奥泊野人,却是与自己同来的五十名武士,他们围坐在火堆四周,在议论着他们的酋长会遇到什么事。泰山非常高兴,开玩笑地向他们喊道:"你们的酋长回来了,你们还不快来迎接!"

瓦齐里武士们听到泰山的声音,都吃惊地跳了起来,他们见泰山隔夜不归,都以为他遇到不幸了,这是不是阴魂出现呢?有的人甚至拔腿想跑,这时泰山已经到了他们面前,谈笑自若,他们才知道自己的新酋长真的没有死,大家又快乐地跳起来。

比苏里第一个开口说:"我们很后悔不该把酋长一个人丢下,可是当时我们真吓得丢魂丧胆了,只好自己逃命,可是后来一想,生死都应该跟酋长在一起。刚才我们正在筹划,准备上山和他们以死相拼。"

泰山问:"你们看没看见有五十个又矮又丑的野人从这里经过?"

比苏里答道:"看见了,昨晚看见过他们,没带武器。我们急于想找到你,所以没理会他们。他们的样子真可怕,全都和猩猩一样。"

泰山于是把自己遇到的事一一告诉他们,同时也对他们说,自己已找到大量的黄金,等到夜里大家一起去偷运出来。

他们在外边等了一天,到太阳落山之后,泰山就领着那五十个黑武士,向奥泊城进发。到了坡道下,泰山停住了,他想,现在必须争取时间,行动越快越好,如果从下往上爬陡坡,不但费体力,更要紧的是费时间。泰山沉吟了片刻,终于想出了一个好办法:他让黑武士拿出十几根标枪来,连接着绑起来,一端挂在自己腰里,他自己先攀上坡顶,拉住标枪,让下面的人抓牢标枪的另一端,用力一个个提上去,像从井口汲水一样,不到片刻工夫,五十个黑武士都平安而快捷地上了坡顶。泰山立刻带领他们,穿过石缝和甬道,到了贮藏黄金的库房,每人拿两条,然后从原路回来。

每条黄金大约有八十磅重,他们负重而行,速度当然缓慢,一直到半夜,只走到了山谷。第二天上午,他们才到了山顶。那五十名瓦齐里勇士,虽然身强力壮,但他们到底没有受过泰山那样的艰苦锻炼,干起偷运黄金的事来,确实十分费力。不过他们非常爱戴泰山,对他忠心耿耿,所以没有一个人叫苦。一路回去,一直走了约三十天,才回到离自己的村落不远处。

泰山并不领着他们回瓦齐里村,却径直向西北走去,又走了有三四天。有一天早晨,泰山吩咐他们把金条放在这里,让五十名武士先回瓦齐里村去。

武士们问泰山:"酋长难道不回去了吗?"

泰山说:"我准备在这里呆几天再回去。现在你们赶快先回去,去看看你们的妻儿老小,免得他们提心吊胆。"

武士们走了之后,泰山提起两条金条跳上树去,向着浓密的丛林飞奔而去。走了约一百英尺光景,就到了一个圆场,四周围着丛林。中间有一个平坦的小高墩,这里是泰山做人猿王时,开辟出来的场地。

泰山独自一人,来来往往搬运金条,没有多大的工夫,就把所有的金条全搬完了。这里的防御条件非常好,可称得上固若金汤,四周密密匝匝地长着荆棘,有如牢固的围墙。泰山对自己所选的这个地方是很放心的。他把这许多金条都埋在泥土里,上面仍旧用土掩埋好,表面看来一点痕迹也没有,和以前埋藏波德教授的那箱宝物一样。这一次用的铁铲,还是过去埋箱子时用的那一把。当年用完之后,泰山把它藏在一棵空心老树里,今天正好又把它找出来用了。

那天晚上,泰山又在围场中过夜,第二天早晨,他仍不急于回瓦齐里村去,这里已离海滩小屋不远,他准备回小屋看看。

泰山走到童年时的故居,发现屋里的一切都还和他离开时一样。面对这个熟悉的老地方,他不免睹物生情,童年的往事,一件一件不觉又都涌上心头,对这间小屋更产生了依依难舍之情。他决定在小屋里住一夜。他累了一天,肚子已经饿了,于是起身到丛林中去,想找些猎物来充饥。

泰山向南大约走了四五英里光景,到了一条河边,沿着河又走了一段,他那灵敏的鼻子,突然闻到一种奇怪的气味,随着风从海滩附近的丛林里吹过来,泰山判断出这是白人的气味。泰山从气味辨别方向,断定气味是从西边来的,在人的气味中间,还夹杂着狮子的气味。

泰山陡然感到情况不好,一定有人要遭难了。他自言自语地说:"我必须赶快些!"他决定去救那个将要遇难的白人,不一会儿,他已飞奔到林子边上了。

泰山站在树上往下一看,只见一个女子跪在地上,低头闭目,像在做祷告,离她不远的地方,蹲着一个吓坏了的男人,他用双手捂着脸,以致看不清他的面貌。在他身后,有一只巨大的饿狮,正在肚皮贴地,慢慢向前爬去,就准备扑上去了。泰山来不及看这个人是谁,飞快地抽出一支毒箭,搭弓射去,正好射中狮子,那猛狮立刻翻身倒地,滚了几滚,发出一声垂死的吼声,最后终于不动了。

过了好一阵,那男人仍旧没有动,那女子却站了起来。她睁眼一看,狮子倒在地上死了,她急忙向四面看了看,却没看到人,非常惊异,不知究竟是怎么回事。树上的人猿泰山,却看清了这女子的脸,他顿时呆住了,这不正是自己日夜思念的琴恩吗?她怎么会来到这里?自己是在做梦吗?还是看错了人?难道她真是自己的心上人琴恩吗?那女子依旧站在那里没动,那男人过去扶着她,低下头去要吻她。泰山见了这情景,心里非常不是滋味,一阵酸楚与失望掠过心头。他又拉开弓,搭上一支毒箭,准备向那男人胸口射去。忽然他又停住了,暗想,万一琴恩真爱这个人呢?我把他射死会有什么后果?于是他忍下了怒气,怏怏不乐地回瓦齐里村去了。

二十三
五十个可怕的人

琴恩和威廉·克莱顿呆呆地把那只死狮子看了很久,心情从极度惊恐中缓过来之后,琴恩终于说出了久久埋藏于心底的话。等克莱顿从猝不及防的惭愧和难堪中逐渐平静下来之后,琴恩说:"是谁射来的一支箭呢?"

克莱顿回答:"这可谁知道呢?"

琴恩说:"如果说救我们的人是我们的朋友,那他为什么连面都不见就走了呢?我们应该请他出来见一见,谢谢他救命之恩啊!"

克莱顿觉得琴恩说得有理,就向周围喊了几声,丛林寂寂无声,连一点回音都没有。

琴恩有点恐惧地说:"这林莽真神秘,也真可怕,明明有人来救过我们,却这样来无踪去无影,反而让我们觉得更害怕了。"

克莱顿说:"我们还是回树上的小屋里去吧!那里对你比较安全,我确实没有能力保护你啊!"他说这话时,非常惭愧,也非常难过。

琴恩也觉察到克莱顿的心情了,有几分不忍,觉得自己刚才的话,刺伤了他的自尊心,于是安慰他说:"别这样说,威廉·克莱顿!你已经尽力了,到丛林里找食物和水,不都是你去吗?已经很难为你了。你是个有高贵品德、肯牺牲自己的人,但你不是超人,自然不可能十全十美。也许,世界上也只有那一个人才能超过你。我刚才感情波动得很厉害,有些话是脱口而出的,我希望你不要因此而伤心,我决不是有意伤害你,只是想表明我们两人结合并不合适罢了。"

第二天,瑟朗可能由于惊吓,病势更重了。不用说,在这个荒僻的丛林里没有医药可用,克莱顿没有办法替他治病。其实在克莱顿的内心深处,倒真希望这坏家伙干脆病死,这样自己到丛林中去找食物和水的时候,就不必再为琴恩担心了。因为他知道瑟朗心怀叵测,不但有害死自己的心,对琴恩也是个很大的威胁。

克莱顿趁着瑟朗病重、不能伤害琴恩的时候,又到丛林中去找食物了。琴恩深恐瑟朗醒来又跟自己纠缠不清,所以她从树上下来,坐在树荫底下,呆呆地望着海面,心里总抱着一线希望,希望能有船只从这儿经过,可以救他们脱险。她哪里知道,此时她身后的树林里,正有很大的危险在向她袭来呢!在几株大树后面,隐藏着一群可怕的人,她却丝毫都没有觉察。有一双像老鼠一样的红红的眼睛,正在盯着她看;同时,在这双眼睛的左右,还有好几双同样的眼睛,也在盯住她看。

一会儿,躺在树上小屋里的瑟朗又呻吟起来,那几个可怕的人听到树上有人声,都一下缩了回去,躲藏起来。但过了一会儿,听听没有动静,也不见有人从树上下来,于是一齐露出脸来。等到琴恩听到背后有声音回头去看,在大惊之下想要逃走的时候,已经为时过晚,被他们的几双手抓住了。

她抬眼只看见一个可怕的怪人，把她紧紧抱住，又伸出一只长长的手，捂住了她的嘴，不让她喊出声来。琴恩经这冷不防的一吓，当时就昏了过去，不省人事了。那个长毛野人一把抱起她来，跑进丛林。等到她从昏迷中醒过来时，看见自己躺在林间的草地上。这时天色已渐渐昏黑，她借着一堆篝火的火光，看见四五十个样子非常可怕的人围坐在一堆火的四周。他们的头上、脸上都长着长长的毛发，手臂很长，腿却很短，样子和野生猿猴没什么两样。柴火上支着架子，挂着一只瓦罐，瓦罐里不知煮着什么动物的肉。他们一面煮着，一面用树枝挑出一块块肉来，送进嘴里大嚼。

第二天，他们带着琴恩继续前进，在丛林中接连走了好多天。琴恩的鞋底已经脱落了，只好赤着脚走，双脚被草根、杂物扎得很痛，但被逼无法，只好勉强蹒跚地跟上。她身上的衣服一路上被荆棘、树枝挂破，几乎衣不蔽体了，有些荆针直接刺穿了她的皮肉，疼痛难忍。那五十个可怕的人根本不顾她的死活，前面拉着，后面推着，拼命向着丛林里跑去。到了最后两天，她两只脚上鲜血淋漓，实在寸步难行了，于是便倒在地上，任凭那些可怕的人大声呵斥，甚至拳打脚踢，她拼着一死，始终不睁开眼睛，不理睬他们。这群野人看看实在没有办法，只好轮流地把她扛在肩上继续前进。

终于在一天上午，他们带着这个捉来的女俘虏，到了一座颓败的古城堡。琴恩当然没有心思去观赏那雄伟奇特的建筑，只听凭那些可怕的怪人把她扛进城，进到一间很高大的屋子里。进去之后，陆陆续续来了一百多人，大多数与捉她来的野人样子相同,其中也混杂着许多女人,看她们的面貌,比那些怪人要好看得多。琴恩起初以为有了救星,希望这些女人或许肯救她的性命。过了好一阵,她逐渐明白这只不过是她的空想,这些女人的脸上,没有一丝怜悯和同情,反而和那些男人一样看着她取乐。这些男男女女叽叽喳喳、交头接耳了一阵,好像在商量什么,她完全听不懂他们的话。然后,他们把琴恩送到一个黑暗的地窖里,像把囚徒送进监狱一样,把她摔在一块冷冰冰的石头上,就不管了。过了一会儿,有两个女人拿着两个金盆进来,一盆是食物,一盆是水,放在她面前,一声不响,转身出去了。

这样大约过了一个星期,天天总是那两个女人送清水和食物给她,她身体渐渐恢复了健康。她暗自以为那些野人也许不会再来打扰她了,于是她日夜祈祷,希望有人来救她,让她可以重返故乡。

再说泰山,自从在树上看到克莱顿和琴恩接吻,一阵心烦意乱,想放毒箭,终于又放下了,转身慢慢向瓦齐里村走去。这一路他心里一直在想:假如射死了威廉·克莱顿,琴恩后半生的生活,不知会怎样凄凉悲苦,自己往日既能做到宽以待人,现在又何必心胸狭窄起来呢?这样一想,心情反而平静了许多。

尽管如此,泰山在感情上总免不了有几分悲凉,他不愿再回瓦齐里村去了,也不想再接触人类,但求与禽兽为伴,老死丛林,了此一生就算了。

这天晚上,泰山又回到圆场上去过夜。到了第三天,没等到晚上,下午他就早早地回到圆场,觉得百无聊赖,便躺在地上打盹。没过几分钟,他那灵敏的鼻子,就嗅到了人猿的气味随风从南面吹来。接着，渐渐听到大猿的脚步声了，他又静静地侧耳听了许久，听到一群大猿，慢慢向着圆场走来了。泰山马上爬起来，打了个哈欠，伸了个懒腰，然后，又嗅了嗅，听了听，这时候的空气中，完全充满了他童年时代所熟悉的气味，他知道大猿群越来越近了。

当泰山感到大猿群已快到圆场的时候，他就跳到圆场角落里的一株树上，找个枝叶浓密的地方隐住身子，在那里等着。又过了好一阵，才看见有一张毛脸，从枝叶间露出来，闪着小眼睛，向圆场的四周打量，观察了许久之后，才回头招呼他的同伴，说圆场里没有别的东西，平安无事，可以安心地进来。

不一会儿，这只做前哨的大猿首先跳到了圆场里，跟着，一个个大猿都跳了下来。一眼看去，大约有百来只，雌雄老少都有，还有不少在母亲怀里吃奶的小猿，这使泰山不由得想起了自己的童年。泰山又仔细观察，能辨认出其中几个是他做猿王时的部下，也有几个是他童年时的伙伴，现在已成为凶猛的大猿了。泰山料定，它们不会认识、也不会记得自己了，因为大猿的记忆力远没有人那么强，虽然仅仅隔了两年，在它们的脑子里，似乎已是很久远以前的事了。因此，泰山必须防范它们。

泰山听它们议论，得知它们此来的目的是为了选举新王，它们的老王不留神，从百英尺高的树上跌落摔死了。

泰山走到树边上一根横出的树枝上，准备做进一步的观察。他这一挪动，自然发出了轻微的声音，被一只眼快的母猿看见了，它马上惊恐地狂叫起来。大群大猿都明白它一定发现了什么，大家都仰着头，朝泰山所站的那株树，慢慢走近来。泰山马上用猿语招呼其中一个狰狞的大猿说："卡纳特！我是人猿泰山！你还认识我吗？你记得我们小时候一同蹲在高树上，摘了果子砸狮子、和狮子开玩笑的事吗？"

那只叫卡纳特的大猿听了泰山的话，仔细把泰山打量一阵，觉得好像有些面熟，露出惊异的样子。

泰山不等卡纳特回答，接着又向另一只大猿说："梅戈！你还记不记得，杀死称王称霸、欺压大家的喀却克的是谁？你仔细看看我就会认出来，我是你们的老王泰山。你们曾经封我为林中第一魔王，这不已经是很久以前的事了吗？"

这时，另外的一些大猿也渐渐走拢来，仰头望着泰山，前前后后地打量他，看它们的样子似都没有恶意，大家都在听泰山说话。过了好几分钟，卡纳特先开口问泰山："现在你想要怎么样呢？"

泰山说："我不打算怎样，我和大家都是老朋友。"

全体大猿又商量了一会儿，最后卡纳特对泰山说："好！我们愿意和你做朋友！"

于是泰山就从树上跳下来，和大家站在一起。按理久别重逢该有一番欢乐，然而大猿却木木然没有什么表示，这是因为大猿的头脑简单，对悲欢离合没有人类那么细腻的感情。有一两个年幼无知的小猿从来没见过泰山这样相貌奇特的白猿，所以都觉得好奇，绕着泰山转来转去，爬一爬，嗅一嗅。有一只大胆些的，竟伸出手来想抓泰山。

泰山并没有向后退，只是举起手来抓住那小猴的头颅，轻轻一推，那小猴就身不由己跌出几步，横躺在路上了。谁知那小猴并没因此吓住，反而恼怒起来，立刻翻身爬起，直向泰山冲过来，很有要斗一斗的架势。这次泰山稍加重了一点力量,把小猴掀翻在地上,用手掐住它的喉咙,那小猴挣扎着,几乎喘不过气来了。

泰山马上松了手,并且把它扶起来,因为泰山本不想弄死它,只不过要它吃一点苦头,让它不敢再撒野。另外,他也有意让别的大猿看看,泰山不是好惹的。

从此以后,果然没有大猿再敢冒犯泰山。泰山和它们共同生活,几天过去了,相安无事,渐渐习惯起来。泰山常常领着一群大猿到丛林中猎取食物。群猿都佩服他那百发百中的绳索,常套住一些难得的野物,来给大家尝鲜。这样,不知不觉中它们又把泰山当成猿王了,像从前一样。泰山本没想占据王位,他自己也没想到,走出瓦齐里村回到猿群里,他又成了王。

泰山虽然做了大猿王,生活得自由自在,可是他心里并不快乐。他只是想混迹于猿群中,逃避从人类那里所得来的烦恼,暗下决心,不再回文明社会,甚至连人类也不想再接触。正因为如此,他才改变诺言,不回瓦齐里村去。尽管目前他心里这样想,但他毕竟是离开过大猿群、走入过人类社会的人,人类是感情动物,想要完全忘掉内心深处的喜怒哀乐是自欺欺人。琴恩的形象,还是常在泰山心里萦回。他想:她如果独自流落在丛林里,时时都会有危险,虽然有威廉·克莱顿保护她,可是那天看到克莱顿被狮子吓成那副样子,他又怎能保护得了琴恩呢?

泰山想来想去,最后还是打定主意回到琴恩那里去,藏匿在附近暗中保护她。正在他将要动身的时候,却又有一件意外的事改变了他的行踪。

一个年轻的大猿刚从远方回到猿群中来,指手画脚地向大家述说路上的见闻。有一段话引起了泰山的注意。他说:"我在路上碰见一群毛脸大哥,内中有一个雌的,样子和那一群不一样,她的肤色竟和咱们现在的王一样。"

泰山急忙问:"那群毛脸大哥,是不是身材矮小,腿是弯的?"

那年轻大猿很惊奇地答道:"对呀!你怎么知道?"

泰山无暇回答,马上接着问:"他们腰里都围着狮子皮或豹皮,手里都拿着木锤,是这样吗?"

"是啊!"

泰山又问:"他们腿上和臂上都套着黄色的圈子,是吗?"

"不错,我王怎么像看见了一样?"

泰山问话的语气越来越急促了:"那个雌的,是不是身体瘦小,还穿着长的衣服?"

"是的。"

"那么,他们怎么对待她呢?"

"他们拖着她走,有时扯着她的前臂,有时抓着她头上的长毛,有时还一边走一边抽打。我跟着看了一阵,真好玩呢!"

这时,泰山可急了,叫了一声:"天哪!"然后他又急忙问:"你在什么地方看见的?他们往哪里去了?"

那大猿向南边指了指,说:"他们在前边第二条河旁边,沿着河走,朝出太阳的地方去了。"

泰山问:"什么时候?"那大猿眨巴着眼睛想了想,说:"大约有十多天了。"

泰山听了,马上飞身上树,一刻不停留地向奥泊城的方向奔去。

二十四
泰山二进奥泊城

威廉·克莱顿寻找了食物从丛林回来之后,没看见琴恩,爬到树上的小屋里去找,也没有,下树来向四周大声喊了一阵,仍然不见回应。这下,他可惊慌得手足无措了,又是焦急,又是悲痛。

这时瑟朗的病势已有所减轻,神志也较为清醒了,只是体力还没有复原,所以仍旧躺在树上的小屋里。克莱顿告诉他琴恩不见了,问他知不知道她的去向,听到什么声音了没有?瑟朗很诧异,有气无力地说:"我没听见什么可怕的叫声,不过,我自己病得昏昏沉沉,也没有精力关心外面的事情。"

克莱顿对他这种冷漠感到很反感,不过也可以证明一点,瑟朗病后身体乏力,绝不会爬下树来伤害琴恩,估计他说的是实话。于是克莱顿急忙跑到丛林里去找,任凭他想尽一切办法,却连一点痕迹也没有找到。是的,克莱顿不可能有这样的经验:那五十个怪人所留下的足迹,如果在泰山或野兽看来,是清清楚楚印在地上的,但是在人类的眼中,那却是绝对看不出来的。克莱顿又等又盼,一直到黄昏,却是一点希望也没有。

克莱顿仍不死心,一边喊着琴恩的名字,一边又找起来。谁知,琴恩没有被他喊回来,一头狮子却循着他的声音来了。幸而这次他发现得早,急忙爬到一棵树上去躲避,才没有被狮子发现,他吓得浑身发抖,冷汗淋漓,再也不敢爬下树来。

后来,天完全黑了,狮子也走了,克莱顿仍旧不敢下来,唯恐狮子藏在附近什么地方,只好带着焦急的心情,在树上蹲了一夜。他好容易盼到天亮,才心惊胆战地爬下树来,回到树上的小屋里。经这一吓,他只好无可奈何地放弃寻找琴恩的愿望了。

瑟朗又睡了一个星期,克莱顿仍每天到丛林去寻找食物分给瑟朗。瑟朗除了向克莱顿要吃的东西之外,不发一言,克莱顿现在住在琴恩那间小屋里,除了送食物和水之外,也不到瑟朗这边来。瑟朗在克莱顿的照料之下恢复得很快,不久就能爬下树来了。但他俩仍没有什么话可说,各自想着自己的心思。没过多久,可怜的克莱顿也染上了疟疾,睡倒在树上的小屋里了,瑟朗可没有克莱顿那样好心,远远避开他,不但不去问一声,连食物和水也不给他送。

克莱顿有时高烧烧得很厉害,舌燥唇焦,想要一口水喝,就请求瑟朗给一点清水润一润喉咙。瑟朗不但装作没听见,连看都不看他一眼。克莱顿只好等热度稍退的时候,爬到溪边用手捧几口凉水解渴。克莱顿的病日渐沉重,没有气力支撑着下树了。有一天,他实在干渴得受不住了,只好再请求瑟朗给他一口水喝。

瑟朗拿了一锡罐水来,进到克莱顿住的小屋里,恶狠狠地说:"水在这儿!先别忙喝,我有话跟你说。当初琴恩在这里的时候,有快乐应该大家分享,你总把她看得很严,不让别人沾一点边儿,时时刻刻防范着我,今天,你求得着我啦……"

克莱顿不等他说完,就非常气愤地说:"不许胡说!像你这样狼心狗肺的东西,根本不配提到琴恩的名字,我当初真不该把你救活,天哪!"

"我手里端着的就是清水,你想喝吗?"瑟朗说着,自己先"咕嘟咕嘟"喝了个够,然后让克莱顿看着,把剩下的清水全泼在树下,泼完转身走了。克莱顿非常气愤,但病得动弹不了,只能仰天躺着,两眼紧闭,双手捂脸。在这蛮荒野地,除了死神光顾,恐怕没有人来救助他了。

瑟朗离开克莱顿后,竟一个人沿着海岸向北走去。他觉得死守在这里,绝无希望,如今病好了,不如冒险走走,也许有机会碰到什么人救自己回去。临走的时候,他还偷了克莱顿的枪。本想一枪打死这个英国人,继而一想,不如让他在病痛的折磨下慢慢死去,自己还可以省下一颗子弹。

瑟朗漫无目的地走着,无意间竟发现了海滩小屋,他非常高兴,以为这里一定能找到接近文明社会的人了。他若能料到这小屋的主人是谁,而且能料到小屋主人就在离他不远的丛林里,他绝对不敢在这儿耽搁。然而他不可能知道这些,所以竟安安稳稳地住了几天才走。

泰宁顿一行虽然没碰到什么不幸,但毕竟天天在担忧,他们料定短时间内不会遇到救星了,所以不得不造起土屋来居住,同时还派了几名身强力壮的水手到北面海口处探望。起初他们还希望过琴恩、克莱顿、瑟朗他们带了大船来救援,日子一天天过去,这个希望也渐渐破灭了,他们猜测这三个人也许出了意外。只有波德教授如病如傻,心里没有想这么多事,仍旧埋头研究他的学问，甚至连日子也不记得了。

波德教授近几天似乎特别高兴，老是语无伦次地胡说，有时说几天之内必有船只会来，他和琴恩父女俩就要见面了；有时又抱怨火车为什么这样不准时，也许中途遇见了大雪，铁路准不能通行了。

泰宁顿听着波德教授颠三倒四的话，常对海兹尔小姐说："如果我不认识波德教授的话，我一定会认为他有神经病。"

海兹尔伤心地回答说："看他那种疯疯癫癫的书呆子样，真是又可怜又可笑。他好像只知道发现问题、研究学问，心不二用，还没有想过琴恩是死是活呢！"

泰宁顿接着说："你绝想不到昨天他干了什么事。昨天我打猎回来，正遇见他在树林里乱跑，看样子像有什么要紧事，急急忙忙的，手撩着大礼服的后襟，低着头，两眼看地，好像一门心思地非要赶到哪儿去不可。我当时问他：'波德教授！你要到哪里去？'他说：'我要到城里去见邮务总管，告诉他我们这里总是丢失信件。我已经有好几个星期没接到琴恩给我的信了，我一定要到华盛顿的邮政总局去问问明白。'我费了很多口舌才把他劝回来。可是当他真明白过来时，就更焦急了，他心里真正清楚我们现在的处境，这已经是第二次了。他一清醒过来，就担心他爱女的下落。"

海兹尔说："我一想到琴恩下落不明，心里也十分难过。"

"现在我们还没得到她的确切消息，我总希望她会遇救，你就暂放宽心吧！"泰宁顿安慰道。

海兹尔说："琴恩和我像亲姐妹一样，现在不仅分散了还生死未卜,叫我怎么放得下心呢?"

泰宁顿听了,忽然觉得有点诧异,他心里暗想,瑟朗曾经告诉他,海兹尔与他热恋,还说已订了婚约,为什么现在海兹尔只挂念琴恩,却绝口不提瑟朗,似乎对他很淡漠呢?他越想越觉得奇怪,禁不住试探地问道:"瑟朗先生和波德小姐是同上了一条船的,假如波德小姐遇到不测,瑟朗先生也难免危险,如果是这样,海兹尔小姐会更伤心吧?"

她以不解的眼光看了看泰宁顿,不假思索地答道:"瑟朗先生和我虽是初交,倒也的确是我一个好朋友,不过比起琴恩来,他远不如我和琴恩的友谊深。"

泰宁顿脱口而出:"你俩不是已经订婚了吗?"

海兹尔惊讶地说:"哪有这回事!他和我交往很浅,只是在轮船上认识的,哪里谈得到婚约呢?"

泰宁顿和海兹尔彼此都有好感,泰宁顿一听海兹尔这样说,心里非常高兴,好像有千言万语要对她倾诉,可是想了半天,嘴动了几下,红着脸,最终一句话也没说出来。最后他只好找个托词说:"雨季快到了,我们赶快把土屋建成吧!"但是海兹尔已经明白了他欲言又止的意思,她内心也觉得非常快乐。从此以后,两个人的感情日渐加深,渐渐发展到心心相印的程度了。

有一天,泰宁顿正在建造的土屋前忙碌,从南边树林里蹿出一个人来,看样子奇形怪状,像个野人。泰宁顿正要伸手去摸枪,只听那人大声叫着自己的名字,三脚两步向他奔来。两人走到对面,仔细辨认了一阵,才认出来人就是游艇遇难时走散了的瑟朗。

海兹尔看到后连忙走过来,问瑟朗同船者的下落。瑟朗回答说:"他们全死了。三个水手在没登岸之前就死了,波德小姐被丛林中的野兽拖去了,那时我正病得厉害,动弹不得。克莱顿是患疟疾死的,死去还没有多少天。我真想不到我们只相隔几英里路。回想起游艇遇难后的遭遇,真像一场噩梦,很让人感伤。"

琴恩被软禁在奥泊城的石屋里,不见天日,已不知过了多少天了。这段时间里,她又因受伤得病,人事不省,幸而每天有人喂她食物和水,慢慢地居然好了起来。每天给她送食物和水的女人总是用手势招呼她站起来,但她总是摇摇头,表示自己没有力气。又过了几天,琴恩勉强能够站起来,还能够扶着墙壁走几步了。那些怪人看她体力恢复了,就选定了一个日子,准备再一次举行祭神大典。他们认为,上一次的牺牲逃掉了,这一次一定要补上,否则神会震怒降罪的。

到了那一天,有一个少女带了许多妇女到琴恩的石屋来做祈祷,显得很庄严郑重。琴恩虽然不知道她们信奉的是什么教,但她认为,凡是信仰宗教的人心地必然都是慈悲的,不会残害她,她也许有逃生之望了。

祈祷完毕,她们把她带到一个很大的宫殿上,当琴恩看到中央的祭台上还留着斑斑血迹时,她才感到又恐怖又绝望,知道自己的生命就要结束在顷刻之间了。那些怪人走过来把她绑住,平放在祭台上。

琴恩明白了他们的意思,吓得魂飞魄散,只听得他们喃喃地在念着咒语,另外还有许多人在舞蹈。一个女主教拿着雪亮的宝刀,缓缓走到她跟前来,她知道这就是行刑的刽子手了。

这时琴恩害怕得好像血液都停止了流动,她紧紧地闭着眼睛,不敢再看,只等着那把取命的刀刺在自己身上。

让我们再来说泰山。泰山听了那个大猿的述说,知道遇难的很可能是琴恩,于是昼夜兼程向奥泊城赶来。因为他预料得到,那五十个怪人把琴恩捉去,一定会把她送上祭坛,和自己的命运一样。他也深知琴恩可没有自己那种能逃出来的本事,所以他必须拼命赶去。

按泰山的赶路法,有时在地上奔跑,有时在树上飞跃,只一个昼夜他已赶上那五十个怪人一个星期的路程了。他怕误了琴恩的性命,脚不停步地一直赶到了奥泊城。

第二天将近中午的时候,泰山走进贮藏黄金的那条秘密通道了。不一会儿,他就到了通往那口古井的墙根。他灵敏的听觉已经听到一阵嘈杂的声音,根据前次经验,他知道这定是献祭前的诵经仪式了。

他听到这声音更加焦急,知道琴恩的危险迫在眉睫了,仿佛这声音是琴恩的催命符。他再也不敢往下想了,摸索着把墙上前次挪动过的石块一推,石块纷纷坠地。可是这次门却是从另一面闩着的。上次十分顺利,这次却无法推开了。泰山急中生智,他想,如果能从井口跳出去,就可以直接到祭坛的宫殿了。他向上望望,离井口有二十多英尺高,怎能跳上去呢?

泰山摸了摸身上,幸好带着一根绳子,他就拿出来,心想,成不成在此一举,现在只有从这条绳子上想办法了。他估量了一下,绳子的长短够用,只是井口没有能挂住绳子的地方,自己的绳子平时只当套索用,绳子头上又没有铁钩,这可怎么办呢?他低头想了想,急忙回到破墙边拣了一块大方石,提到井边来,把绳子一端系在石块上,用足力气对着井口抛出去,让它落到井外。

泰山拉住绳子试了几下,石块没有滑下来,于是他两手拉住绳,两脚腾空,身子摆来摆去,渐渐攀向井口,但那石块承受不了一个人的重量,却渐渐滑向井口,就要掉下来了!

二十五
穿过原始森林

泰山全身悬在绳子上,那石块已经滑向井口来了,他有掉到井底去的危险。忽然那石块滑到井边,刚好绳子嵌在井边的石缝中,不动了。于是泰山放心大胆,使足了劲,终于爬到了井口。上到井口外,站稳之后,泰山向四周看了一下,一个人都没有,大概都去参加祭神大典了吧。他再静听一下,分明能清楚地听到女主教兰的声音。舞蹈声已经停止了,泰山估计此刻兰的刀很快就要刺入祭品的胸口了。于是泰山就顺着声音,飞一样地跑去。

到了大殿,泰山一下子冲进了殿门,只见祭台两边立着两行男女,恭恭敬敬地捧着金杯,准备接祭品的血了。兰慢慢走到祭台前,对着躺在祭台上的祭品,举起了右手的金刀。泰山看不清祭台上牺牲的面目,但从身材看,很像是心爱的琴恩。泰山一看眼前的场景,又急又怒,额角上的伤疤也变成了红色,猛发出一声长啸,像一头疯狂的狮子,直扑进大殿去。他从一个怪人手中抢了一把木锤,左抢右打,扑到祭台前。兰觉得很奇怪,怎么像上次一样,身后又是一阵骚乱?她马上住了手,掉转头去看,见冲上来的是泰山,她却和别人的表情不同,是又惊又喜。

原来前一次兰救泰山,自有她自己的目的。她见泰山年轻英俊,认为这是天赐良缘,就想把泰山永远留在奥泊城。她把泰山送到保险的石室之后,自己思前想后了一夜,准备第二天把想法告诉泰山。哪知第二天她推门进去一看,泰山早已不知去向,感到非常奇怪,由于是她一个人藏的,自然又不便四处寻找,心中不免懊丧。如今见他自己回来了,好像失而复得、如获奇珍一样,自然是又惊又喜。

此时的兰完全忘记了自己的职责,呆呆地望着泰山。泰山一步抢到祭台前一看,正是吓晕了的琴恩,连忙把她抱起来,对兰说:"兰!请你让开一点,你前次救过我的命,现在我不打算伤你,你若不肯放她,可别怪我对你不客气!"

兰指着琴恩问:"这女子是谁?"

泰山说:"她是我的。"

兰一听这话,泪如雨下,马上晕了过去,跌倒在地上。那许多可怕的矮人,从兰身上踏过去,去追泰山。

但这时泰山动作极快,早已从圆洞里钻进了地穴。那许多矮人以为泰山只在里面暂时躲一下,恐怕中了泰山的埋伏,没有人敢摸索着下地穴。大家商议了一会儿,决定守候在洞外,等泰山出来再捉他。他们根本想不到他们的女主教曾经带泰山到这条通道可达的地方去藏匿过,他们原本以为这里面是别无他路可走的。

泰山抱着琴恩在奥泊城的地下通道里曲曲弯弯地走了许久,因为抱着一个人走,琴恩虽不太重,但也不如上次自己空手走那样迅速。开始他还怕有人来阻挡去路,可是听了听,一直没有动静。上面那些奥泊怪人知道泰山上一次没有从大门出去,而今天却从外面进来，也觉得蹊跷，于是仍旧派了五十名矮人，到城外去追踪寻找。

泰山又到了那间有破墙的地下室里，抱着琴恩一同钻了过去，把石头照原样摆好，把井边的一块也拣回来塞到原处，免得让奥泊人看出破绽，暴露了这条通往黄金宝库的秘密通道，他还想以后再来取用黄金。

他穿过地下的几道门，到了奥泊城外，此时琴恩却仍旧在昏迷之中。

泰山抱着她到了山顶大岩石，回顾奥泊城，只见一群矮小的怪人向他们追来。泰山对自己目前的处境略一思考，心知如果被矮人发现必有一场恶战，自己肯定寡不敌众，同时也保护不了琴恩。如果再退回到地道中去，又怕被他们发现了地道的秘密，倘若他们前后夹攻，自己就无路可逃了。再看看面如死灰的琴恩，非常虚弱，也不宜再带她到地道中去。泰山忖度了片刻，认为还是扛着她冒险往前走好。若能找到一块柔软的草地，让她先好好休息一下，或许有助于恢复精神。于是他仍十分小心地抱着她走，注意躲过矮人的视线。

泰山走了不到一英里的样子，那五十名奥泊人忽然转了弯。泰山所处的地带，全部是荒野，没有丛林，他的行踪完全暴露在矮人的眼中了，那群怪物们高兴得乱叫乱跳，满怀信心地以为这次可以捉到泰山了。可是，他们眼睛虽然看得远，然而过短的腿却成了他们致命的弱点，像一群鸭子一样，走路摇摇摆摆，无论如何也追不上泰山。

泰山看了这种情况，仍旧不慌不忙，加大了步伐向前走。这群矮腿怪物的赶路能力实在太差,泰山完全有时间走一段路之后,停下来看看琴恩。泰山断定她没有生命危险,扛起她走路时,他的耳朵靠近她的心脏,能听到她微弱的心跳声,所以知道她的生命力还存在。走了一段,已经到了山冈下面,泰山完全有条件大显神通了。他计划找个地方飞身上树,到浓密的枝叶里去,一来可以免得奥泊人居高临下投掷石块,二来可以藏身树上寻机休息,以便养精蓄锐。

奥泊人爬上山冈的时候,泰山早已飞身上树了,那五十个怪物在长途奔走之后已经筋疲力尽、气喘吁吁,在汗流浃背地互相抱怨,现在又忽然发现失去了目标,更加怒气冲冲,像发疯一样狂叫狂跳,大家都不愿意再追了。他们自己也感到腿短的弱点,知道追也是徒劳,尤其想起泰山前一次逃得神秘莫测,再想想看去对付这样一个强敌恐怕不是他们这群矮脚人能胜任的,于是只好气急败坏地回奥泊城去了。

泰山看他们回去了,才放心大胆地把琴恩轻轻放在草地上,自己到溪边替她取了点冷水,给她洗了洗脸和手。尽管用的是冷水,但她还是没有醒来。泰山又抱起她来继续往西走。直到下午,琴恩才稍稍有点感觉,但她仍旧不敢睁开眼睛,仿佛女主教手里那把刀还在对着自己的胸口,马上就要刺下来,甚至疑惑自己是不是已经死了。过了好一会儿,她才微微睁开眼,看见自己竟依偎在泰山怀里,心里暗想:"泰山不是在大海里淹死了吗?怎么抱着我在绿荫下行走呢?"这样一想,她才更确信自己是死了。于是她低声说:"死了果真能和你在一起,我实在感谢上帝啊!"

泰山也低声对着她说:"你能说话了,琴恩!你恢复知觉了吗?"

泰山把琴恩轻轻放在草地上。

"是的,人猿泰山!"她回答,脸上露出幸福的神情,这在半年来还是第一次。

"谢天谢地!"泰山说。他把琴恩抱到柔软的草地上轻轻放下,才慢慢告诉她:"我赶到得正是时候,把你从祭台上救下来了。"

琴恩奇怪地说:"救下来了?你说的是什么意思?"

泰山说:"他们要杀你,我正好赶到,从祭台上救了你的性命。亲爱的!你难道一点也不知道吗?"

琴恩更为诧异地说:"你救了我?难道我们都没有死吗?"

泰山扶琴恩靠坐在一棵树下,自己站在她面前,看着她说:"琴恩!你和我一样,咱们都活着呢!假如你不信,只要到奥泊城里去问一下,一切就都可以证实了。不过,咱们不能去,去了他们还会把咱们当祭品杀了的,我也从那个祭台上逃下来过。"

"等一等,那么为什么海兹尔和瑟朗都告诉我,说你淹死在海里了?而且,他们都十分肯定,你绝没有生还的可能。"

泰山笑了,说:"确实有人把我扔进海里了,可是我没有淹死。这可说来话长了,不过,我也可以肯定地告诉你,把我抛下海的人,就是那位瑟朗先生。至于事情的详细经过,不是一两句话能说完的,等我以后慢慢告诉你。你看我现在的样子,不是又和你第一次见到我时差不多吗?我几乎又成了个土人!"

琴恩想慢慢地站起来,泰山立刻上前去扶她,她又低声说:"我今天的快乐,是做梦也想不到的,自从我乘坐的游艇沉没之后,这几个月来的生活,简直是非人所能忍受的。"她说着靠近了他,倚在他的怀里,抬起头来看着他说:"现在我几乎还疑心是在梦里,几个小时之前,那把亮晃晃的就要刺进我胸口的刀,仿佛还在我眼前晃动。我最心爱的人,快吻我吧!我们多不容易才到了一起呀!我们都经过了生与死的磨难。"

泰山紧紧地抱住琴恩,不停地吻着,两个人谁也不知道吻了有多长时间。当她的手要离开他的肩膀时,自然而然地又加了一吻。

泰山问她:"你现在是真的相信我没有死呢,还是拿我当作你梦里的情人?"

琴恩说:"假如你是我梦里的情人,那我也情愿忘了人世,这梦永远不要醒!"

说到这里,他俩四目对视着,沉浸在甜蜜的幸福里,以前的种种痛苦,都抛到九霄云外去了,甚至于将来会如何,等着他们的将是怎样的命运,他们也无暇去想。两个久别重逢的情人,都紧紧地抓住了现在。最后琴恩带着甜蜜的笑容说:"亲爱的!你打算到什么地方去?准备去做什么?"

泰山反问她道:"你想到哪里去?喜欢做什么?我亲爱的琴!"

琴恩说:"你到哪里,我就跟到哪里,你愿意做什么,我也跟着做什么。"

泰山忽然想起了什么,问道:"但是威廉·克莱顿呢?我竟忘了你的丈夫!"

琴恩说:"不!我没有结婚,哪里来的丈夫?而且,我和克莱顿的婚约已经解除了。就在那群可怕的矮人捉我去之前,我把我和你之间的爱情,毫无隐瞒地告诉了他,他也能体谅我,已经表示同意解除婚约了。这件事的起因,还是由于有人暗中射死了狮子,救了我们的命而谈起的。"琴恩说到这里停住了,对泰山看了许久,才说:"人猿泰山!这件事是不是你做的?因为我相信,除了你以外,别人不会有这样的本领。"

泰山低着头,闭起眼睛,一声不响,好像十分惭愧。

琴恩带着埋怨的口气说:"你真忍心!为什么看见了我,还避开不理呢?"

"琴恩!请你原谅我,你无法理解我当时看见克莱顿那样亲近你,心里是什么滋味,我恨不得永远离开人群,永远不再见到人类!当时我下了决心,永远置身于蛮荒林莽之中。我哪里是有意忍心丢弃你呢?"

于是泰山把他俩分离后的一切详情,从离开巴黎直说到目前,一口气都告诉了她。

她问了他许多话,他都一一作了回答,最后她问到瑟朗告诉她的那段"风流韵事",就是关于库特伯爵夫人奥尔迦的事。泰山也毫无隐瞒,把前后情节都告诉了她。因为他没做亏心事,说起来时自然也是心地坦诚的。说完了,他抬头看着琴恩,好像在等待她的反应。

琴恩叹息着说:"我知道瑟朗说的都是谎话,唉!这样的恶棍,世界上真是少见的!"

泰山问:"你不生我的气了吗?"

她没有直接回答,反问道:"那奥尔迦不是很美丽吗?"

泰山笑了笑,抱住她吻了一下,说:"哪里及得上我的琴恩十分之一呢?"

琴恩微微吐了一口气,低着头倚在泰山怀里。泰山知道她心里已经没有芥蒂了。

他们因惦记着克莱顿,所以顺着海滩走去。走到平坦的大路上时,他俩就手牵着手走;遇有荆棘丛林时,泰山就抱着她从树上走。

有一天,泰山嗅到了一股黑人的气味正从不远的地方传来,他立即告诉琴恩不要害怕,有一群丛林里的朋友快来了,他们没有恶意,决不会有危险的。

果然,过了约半个小时,远远看见一小队黑武士从西面走了过来。泰山仔细一看,知道是他的部下瓦齐里黑人,比苏里也在内,其中还有几个是曾经随泰山到奥泊城寻过财宝的人。他们见了泰山都快活得狂跳乱舞,告诉泰山说,他们出来专为找泰山的,已经走了几个星期了。他们见了琴恩非常惊奇,泰山向他们作了解释,他们才知道这是瓦齐里村未来的酋长夫人,更是高兴得不得了,都围上来向琴恩表示敬意。

他们聚在一起,继续前进,找到了琴恩他们三人在树上筑巢的地方,听了听上面寂静无声。泰山立刻爬上树去,很快拿出一个锡罐来,扔给比苏里,叫他赶快去取些水来,同时,泰山唤琴恩也上去。琴恩上去见克莱顿昏迷地躺在那里,骨瘦如柴,不禁也掉下泪来。

泰山说:"他还活着,我们要赶快设法救他。不过,看他的样子,恐怕太迟了,我们尽力吧!"

比苏里很快就找了水来,泰山撬开克莱顿的嘴,给他灌了一点下去,又在他的额头上洒了点凉水。过了一会儿之后,克莱顿慢慢睁开了眼,看见琴恩,脸上现出了笑容。但是转眼一看,泰山也在琴恩旁边,马上又露出了惊疑的神色。

泰山说:"老朋友!我们来得正是时候,幸好把你救过来了,你只管静心养病,不久你就会复原的。"

克莱顿神色黯然地摇了摇头,用微弱无力的声音说:"我自己觉着恐怕来不及了。但是,在我活着的时候,总算见到了你们,我死也瞑目了。"

琴恩忽然想起了什么,急切地问:"瑟朗在哪里?"

克莱顿说:"他走了,不知到哪儿去了。他走的时候,我正发烧得厉害,他真是个狼心狗肺的东西,我求他给我点水喝,他不但不给,就连他自己喝剩的一点水,都当着我的面,恶狠狠地泼在地上了。"一说起瑟朗,气愤似乎使他的精神振作了一点,歇了一会儿,又继续说下去,"我不甘就这样死,我要报了仇,才能死时闭得上眼。"

克莱顿已病得很重,说话十分吃力,方才挣扎着说了这么多,身体已经支持不住,倒在草床上昏过去了。

泰山把他的头扶起来,安慰他说:"你不要生气,瑟朗这个坏东西,我自会有办法惩治他。"

克莱顿沉睡了很久,泰山隔一会儿就听听他的心脏,发现心脏的跳动越来越缓慢了。到天色将暮时,他的神志似乎略清楚了一些,用勉强能听到的声音对琴恩说:"琴恩!我对不起你和泰山。我确实很爱你,唯恐失掉了你,所以做了一件昧良心的事,我有罪,不敢希望你宽恕我。但是,在我死之前,必须把真相告诉你。在几年以前……"他说着,极吃力地伸出右手,从盖在身上的衣服口袋里掏出一张发黄的纸递给琴恩。然后翻了一个身,面孔向里,泰山凑过去一看,只见他瞳孔已经散开了。可怜克莱顿只有二十多岁,就告别了这个世界。

泰山看到克莱顿这样凄惨地死去了,忍不住也流下泪来。琴恩毕竟和克莱顿共同度过了一段患难的日子,哭得更加伤心。过了半天,她才想起,手里还握着克莱顿给她的一张不知是什么的东西,凑着黄昏的微光,拿起一看,原来是份贺电:

指纹验证,你确是格雷斯托克爵士。

得·阿诺敬贺

她把这份贺电递给泰山,对泰山说:"看来,这件事他早已知道了,这么久以来,他从来没告诉过你吗?"

泰山说:"没有。我原先只以为他不知详情呢。哦!我想起来了,一定是我收到电报的那天晚上,我把它丢在候车室里了,克莱顿就是在那时候拾到的。"

琴恩不解地问:"可是,那天晚上,你却亲口告诉我们说,你的母亲是一只雌猿,还说过,你自己也不知道生父是谁,你为什么要那么说呢?"

泰山说:"我把爵位和财产都看得很轻。当时我发觉你们是相爱的,如果我那时宣布了这份贺电,等于夺去了我所爱的人的一切,只要你能幸福,我怎样都可以——琴恩!你明白我的意思吗?"

琴恩抱住了泰山,紧握住他的手说:"这样说来,你纯出于为我着想,可你自己的牺牲却太大了!"

二十六
人猿往事

第二天早晨,泰山领着琴恩向自己原来的海滩小屋走去。四个瓦齐里人扛着克莱顿的遗体,跟在后面。泰山打算把克莱顿葬在自己双亲的墓旁,琴恩也赞成这样做。她甚至深深觉得,泰山虽然自小生长在林莽的兽群中,但是他的待人接物、处理问题,却比有些在文明社会里受过良好教育的人还要厚道,还要通情达理些。

他们一直往前走,大约走了三英里的样子,泰山突然停住了,因为他看到有一位老年人迎面走来。这位老年人戴着一顶大礼帽,低着头,两手背在背后,撩着他大礼服后面的下襟,像在边思考什么边慢慢地走着。

琴恩一眼看见,却是意外地惊喜,喊了一声,就急急忙忙奔了过去。老人听到声音,抬起头来,也三步并做两步地迎了过来,原来这就是波德教授。教授紧紧抱住女儿,像失而复得了宝贝一样,那布满皱纹的脸上老泪纵横。父女俩久别重逢,过去彼此都不知对方的生死存亡,此时千言万语齐集心头,竟不知从何说起。波德教授忽然一抬头,看到了泰山,心神不免又恍惚起来,几乎疑心自己是不是已不在人世。琴恩和泰山轮番向他解释了很多,他才知道了泰山的一连串经历,相信大家都平平安安地活在世上。后来他们才告诉他,威廉·克莱顿是昨天病故的。

波德教授说:"这可又把我弄糊涂了,瑟朗不是说,克莱顿很多天以前就死了吗?"

泰山听波德教授提到瑟朗,急忙问:"瑟朗也和你们在一起吗?"

波德教授说:"是啊!他是最近几天才来的。我们原先住在你的小屋北面,并不跟他在一起,后来是他领我们到你的小屋里来的。我想,要是瑟朗看见了你们,老友重逢,还不定有多高兴呢!"

泰山说:"恐怕还不只是高兴而已呢!"

然后,他们就一同向泰山的海滩小屋走去,看见那里有不少人正来来往往。泰山忽然发现,其中有一个人怎么好像是得·阿诺?他喊了起来:"得·阿诺!你怎么会也在这里呢?难道我真的在做梦吗?"

那人一回头,果然是得·阿诺,他看见泰山,喜出望外地急奔过来,又是一个久别重逢,两个人面对面地站住,彼此端详了一阵,才忙不迭地互相叙述别后的情况。原来,得·阿诺这次是奉政府的命令,乘船到非洲海岸一带巡视的。正巧经过这一带,他想起两年前在这里发生的一切,情不自禁想回旧地重游一下,因而约了同来的军官一起登陆,到林莽中寻找旧日来过的地方。没想到上岸之后就遇见了泰宁顿一行人,谈起来后,才知道泰宁顿他们乘兴出游,却遭遇了一番不平凡的经历。现在他们已经商定,准备明天早晨让大家乘得·阿诺的巡洋舰一同回文明世界去。泰山如果晚来一天,就见不到他们了,会失去一次回去的绝好机会。

斯特朗小姐和她的母亲,以及爱丝米兰达、菲兰得先生等人,看见琴恩平安归来,也都喜出望外。琴恩把泰山介绍给大家,并将泰山如何把自己从奥泊城救出来的事,细细讲给他们听。大家听了,无不惊叹、敬佩,几乎把泰山视同天人,认为除了他之外,再也找不到任何一个人能做出这样一番惊天动地的事了。大家都对泰山肃然起敬,围上来好奇地问这问那,泰山简直应接不暇了。

那群瓦齐里人从来没见过这么多白人,由于陌生而有点害怕,泰山把他们介绍给大家。由于是泰山的部下,大家对他们都很客气,又赠给了他们许多礼品,他们非常高兴。但是当听到他们的首领泰山要随他的朋友们乘船离去,大家恋恋不舍、非常难过,却又无可奈何,因为知道没有理由挽留泰山。

泰宁顿和瑟朗一早就出去打猎了,到现在还没回来,所以他们根本不知道海滨住处这里发生了什么事。

琴恩对泰山说:"你说的那个罗可夫,若回来忽然看见你,不知会怎样惊慌失措呢!"

泰山怒冲冲地说:"他几次设诡计害我,最后又把我扔进海里,想要我一死,这次,哼!他休想从我手里逃脱性命!"琴恩看泰山脸上的怒容,知道他动了杀机,她却比较冷静地想了后果,于是把手放在泰山的肩上,温柔地说:"亲爱的!在丛林中你是无敌的英雄,没有什么力量能阻碍你报仇。但是文明社会却与丛林中不同,如果你现在杀了他,按法律说,你就犯了罪,成了杀人凶手,就是你这些朋友们也没有办法救你。我可不愿意为了这件事影响了我们的婚姻。现在,法国政府的军舰就泊在港外,我们何不把他交给舰长迪费仑先生,把罗可夫送上法庭,让法律来判他的罪呢?我们没有必要牺牲自己去杀他!"

琴恩这些话提醒了泰山,使他想起了莫尔街那件事,当时自己还一点也不懂法律,幸亏有得·阿诺帮助才了结了那桩公案,还和警察交上了朋友。泰山想了想,琴恩的话是有道理的,也就平下气来,表示同意。大约隔了半个小时,泰宁顿和罗可夫从树林中回来了。泰宁顿一眼看到人群中有一个自己不认识的英俊魁梧的男子,周围还有一群黑人,正在和得·阿诺与迪费仑说话。

泰宁顿马上问身边的瑟朗:"那个人是谁?"

罗可夫仔细一看,马上吓得魂飞天外,这不正是自己屡屡加害居然没有死的、势不两立的冤家对头泰山吗?他出现在这里,那还能有自己的活路吗?他恶狠狠地低低骂了一声,举起枪来,瞄准泰山就要放。泰宁顿一下急了,不论对方是什么人,总不能无缘无故举枪就打,在这一瞬间,他脑子里只有一个念头"救人要紧",迅速地伸手把瑟朗的枪柄一推。真是"失之毫厘,谬以千里",枪弹出膛后,向斜上方飞去了。当瑟朗要开第二枪的时候,泰山已经跳到了他面前,以迅雷不及掩耳的速度,夺下了他手中的枪。得·阿诺、迪费仑和十几个水手,当即一拥而上,泰山就把罗可夫交给了他们。原来,泰山听了琴恩的意见之后,没等罗可夫回来,就把以前有关罗可夫的一切罪行,都向迪费仑说了。罗可夫回来,又要行凶,所以没容分说,迪费仑就给他戴上了手铐脚镣。泰山这时想起了自己离开巴黎时,法国政府交给自己的任务是查办热诺瓦上尉。罗可夫在船上曾偷了自己的秘密文件,此时在罗可夫身上一搜,果然文件就在他身上,完好无损。泰山收好文件,以备去回复法国政府。

波德教授、琴恩及其他的人听到枪声,都吃惊地从小屋中奔出,泰宁顿看见了琴恩,非常诧异,急忙上前握手。琴恩又把全部经过,向泰宁顿简述了一遍。过了好一阵,大家的激动心情才平静下来。

泰山交代完了罗可夫的事以后,也走到众人这边来。琴恩笑吟吟地向泰宁顿介绍泰山说:"这是约翰·克莱顿,他可是我的未婚夫啊!"说罢,两朵红云飞上了她的双颊。

泰宁顿听了,大吃一惊,简直如堕五里雾中。游艇上玩了一路,大家都知道琴恩的未婚夫是威廉·克莱顿先生,怎么忽然又成了眼前这位陌生的约翰·克莱顿先生了呢?而且,格雷斯托克爵士也像变魔术似的变了一个人?看看波德教授和琴恩的神色,又不像在开玩笑,他简直无法控制自己惊异失措的样子了。大家也看出了他的窘态,于是波德教授、琴恩和得·阿诺轮流向他解释,各人都详细地向他述说了很多泰山的神奇经历,以及事情变化的缘故,这位英国绅士才终于相信,大家都没有神经失常。

到了傍晚,他们把威廉·克莱顿葬在泰山父母的墓旁,泰山请舰长迪费仑鸣三声礼炮,以示向死者致敬。

波德教授在青年时曾做过牧师,所以丧葬过程中祈祷等一切礼节,都由他主持。送葬的人中,有法国的军官和水手、英国和美国的贵族,也有非洲黑人,仪式颇为庄重肃穆。

泰山和舰长迪费仑商量,能不能把开船日期向后延两天,因为他还有些要运走的东西得搬上船来,迪费仑一口答应了。第二天下午,泰山带着一群瓦齐里人来了,还带了一大堆东西来。众人一看,原来都是大条的黄金,大家都十分惊奇地问他,这是从哪里得来的?泰山不便细说,只笑着说:"这里只是我所有的十分之一,以后要用,可以再来取。"第二天他们又运了一次,全数搬入船中,舰长迪费仑开玩笑说:"我们现在这样子好像古代西班牙的船,到南美洲去寻宝的,不知水手们见了,会不会见财起意,叛变起来呢?"

第二天早晨,大家正忙着做开船的准备工作,泰山忽然若有所思地对琴恩说:"这里,是我的出生地,也可以称作故乡吧;小屋旁边,又葬着我的父母,周围的林莽,是我自幼长大的地方,这一走,不知哪年才能回来,我实在有点恋恋不舍。因此,我忽然想,是不是趁我们没走之前,就在这小屋里,把我们的婚礼举行了,好不好呢?这不是很有意义吗?亲爱的!你怎么想?"

琴恩想了想说:"亲爱的!只要别人不说我们不合礼仪、不近习俗,我很能理解你的想法,也愿意在这里举行婚礼,我俩的爱情不也是在这里生根发芽、成长繁茂起来的吗?如果婚礼在这里举行,既合情理,又有意义,我们听听朋友们的意见好吗?"

他俩立即就去征求朋友们的意见,大家一听,都兴高采烈,一致赞成。于是这一对天作之合的佳偶,就在海滩小屋中,筹备起婚礼来。波德教授仍然代理牧师职务,主持起庄严而隆重的婚礼。

起初,原准备请得·阿诺做男傧相,海兹尔做女傧相,可是泰宁顿又临时提出了个大家没有料到的意见,更增加了喜庆气氛。泰宁顿挽着海兹尔的手臂,对海兹尔的母亲说:"如果斯特朗夫人赞成的话,我们想借着格雷斯托克爵士和波德小姐的有特殊意义的婚礼,我和海兹尔也同时把喜事办了。"大家一听,都喜出望外,一时欢声雷动。

于是两对新人,泰山和琴恩,泰宁顿和海兹尔,同时举行了婚礼。

婚礼的第二天,他们的船起锚了,在波平如镜的海面上向前驶去,琴恩紧紧靠着泰山,倚在栏杆边,目送着丛林和沙岸渐渐远去。那些瓦齐里族的黑武士,站在岸上,挥舞着长矛,欢送他们的酋长,脸上却露出惆怅难言的神情。

泰山回身对琴恩说:"我的爱!如果这次不是遇到你,我真的要跟那些瓦齐里人一起终老在这片林莽里了。是你改变了我的人生道路,亲爱的琴!我们永远不分开了,好吗?"

琴恩深情地点了点头。泰山弯下身去,在琴恩的唇上,送上一个甜蜜的长吻。